खुशवंत सिंह

भगवान
बिकाऊ नहीं

खुशवंत सिंह

पद्म भूषण एवं
पद्म विभूषण
से सम्मानित

भगवान बिकाऊ नहीं

संकलन व संपादन
अशोक चोपड़ा

हिन्द पॉकेट बुक्स

HAY
HOUSE

हिन्द पॉकेट बुक्स
भारत की सर्वप्रथम पॉकेट बुक्स

उत्कृष्ट साहित्य का प्रतीक
सुन्दर • सुरुचिपूर्ण • सरल

खुशवंत सिंह की नेशनल बेस्टसेलर किताब
Agnostic Khushwant Singh
There is No God!
का हिन्दी रूपान्तरण

भगवान बिकाऊ नहीं (धर्म / सामान्य)

© खुशवंत सिंह, 2013
© हिन्दी रूपान्तरण, हिन्द पॉकेट बुक्स द्वारा सुरक्षित
This edition is licensed by
Hay House Publishers (India) Pvt. Ltd

संपादन एवं संकलन : अशोक चोपड़ा
हेन्दी रूपान्तरण : रचना भोला 'यामिनी'
प्रथम संस्करण : 2013
प्रकाशक : हिन्द पॉकेट बुक्स प्राइवेट लिमिटेड
जे-40, जोरबाग लेन, नई दिल्ली-110003
टाइपसेंटिग : स्केनसेट, नई दिल्ली-110003
मुद्रक : साई प्रिंटो पैक प्रा. लि., नई दिल्ली-110020

BHAWAN BIKAU NAHI (Religion/General)
Khuswant Singh

ISBN 978-81-216-1803-8
13/13/01/11/20/SCANSET/DE/NO/NO/NP150/NP150

जया थाडानी
के लिए

विषय-सूची

प्रकाशक की टिप्पणी

कौन-सी चीज़ खुशवन्त सिंह को विश्वसनीय बनाती है? किसी सुस्थापित समुदाय के प्रति उनका असम्मान दिखाना? क्या यह उनका, अपने-आपको 'फूहड़ता का सुल्तान' दिखाना है, जबकि वह 'वास्तविकता में अपनी ही तरह के एक विद्वान' हैं? क्या यह उनकी अलौकिक क्षमता है, जो ईश्वरीय आदमियों, ज्योतिषियों और अन्य कई प्रकार के तथाकथित आध्यात्मिक गुरुओं का असली रूप दिखाती है। क्या यह उनका आकर्षण है जिसने उनके इर्द-गिर्द दिव्य रोशनी का एक दायरा बनाया हुआ है। कारण चाहे कोई भी हो, यह सच्चाई बनी रहेगी कि उनका नाम सफलता का पर्याय बन चुका है। एक के बाद एक किताबें लिखने के बाद वह सबसे ज़्यादा बिकने वाले भारतीय लेखकों में एक बने हुए हैं।

अपने जीवन के दसवें दशक में खुशवन्त भारतीय लेखकों में वह बहुत ऊंचा स्थान रखते हैं। वह एक उपन्यासकार, पत्रकार, इतिहासकार, कहानीकार, राजनैतिक टिप्पणीकार और अनुवादक हैं यानी एक शख़्सियत में कई शख़्सियतें। उनके चाहने वाले भी बहुत बड़ी संख्या में हैं तो उनके विरोधी भी, लेकिन वे अपने विरोधियों के प्रति किसी भी तरह की दुर्भावना नहीं रखते। वास्तव में वह अपने आलोचकों को गम्भीरता से लेते हैं।

उन्हें 'एक मुकम्मल कलाकार; एक सजग शिल्पी और अपने फ़न का उस्ताद' कहा जाता है। उनके किए कामों का एक विशाल भंडार है जिसमें साहित्यिक शैलियों की एक किस्म भी शामिल है। उनकी कई किताबों को 'क्लासिकल' (शास्त्रीय) का दर्ज़ा हासिल है। वह खुद अपनी निंदा करने वालों में हैं। उन्होंने कभी भी खुद बड़ा लेखक होने का दावा नहीं किया। उन का विचार है कि 'आत्म-प्रशंसा सबसे ऊंचे दर्जे का गंवारपन है।'

एक प्रकाशक की हैसियत से, मैं खुशवन्त सिंह की अधिकांश पुस्तकों को प्रकाशित करने का श्रेय ले सकता हूं। अगर खुशवन्त सिंह अपनी लिखी पुस्तकों की संख्या (आख़िरी गिनती होने तक एक सौ से अधिक) भूल गए हैं तो मुझे भी याद नहीं कि पिछले तीन दशकों से ज़्यादा समय के दौरान मैंने उनकी कितनी किताबें छापी हैं।

खुशवन्त सिंह, निस्संदेह, हर एक प्रकाशक का सपना हैं और असाधारण रूप से, उनके साथ काम करना बहुत आसान है। वह सम्पादकीय सुझावों को बहुत जल्दी स्वीकारते हैं और संपादक द्वारा पूछी गई जानकारी का बहुत जल्द उत्तर देते हैं। उनकी कृतियां समय की कसौटी पर कसी गई हैं। उनकी कई पुस्तकें पहली बार प्रकाशित होने के दशकों बाद भी लगातार बिक रही हैं — चौबीस घंटे टी.वी. चैनलों के बावजूद और इंटरनेट की चमत्कारिक पहुंच के बावजूद। यहां सी.डी. और डी.वी.डी. का ज़िक्र करने की ज़रूरत नहीं है।

खुशवन्त सिंह से मेरे संबंध, व्यवसायिक और व्यक्तिगत दोनों ही हैं। मैं उनसे पहली बार 1970 में मिला था, जब मैं पत्रकारिता के क्षेत्र में अभी शुरुआती अनुभव ले रहा था, लेकिन जून 1978 में वह बम्बई (मुम्बई) से दुबारा दिल्ली स्थानांतरित हुए तो मैं उन्हें अच्छी तरह से जान पाया। उन्होंने मेरे लिए अपने दरवाज़े हमेशा खुले रखे और हमेशा अपने समय के साथ बहुत उदार बने रहे। उस समय मैं पत्रकारिता छोड़ पुस्तक प्रकाशन के क्षेत्र में आ गया। मैं उनके साथ देश के कई हिस्सों में घूम चुका हूं। दिल्ली और कसौली (हिमाचल प्रदेश में एक पहाड़ी स्थान) में कई शानदार शामें मैंने उनके साथ

बिताई हैं। इतने सालों में मैंने जब भी उनसे मिलने का समय मांगा, उन्होंने उत्तर दिया, 'चले आओ।'

❁❁❁

सच में, खुशवन्त सिंह इस पुस्तक की शुरुआत, जैसे कि उनकी ख़ासियत है, इसमें विवादस्पद तत्व शामिल करके करते हैं। वह इस सच्चाई को सामने लाते हैं कि सदियों से धर्म को जोड़ने वाले के बजाय विभाजन करने वाला बना दिया गया है। वह अपनी अनोखी शैली में भगवान की प्रासंगिकता पर भी सवाल उठाते हैं, लेकिन वह इस तथ्य को मानते हैं कि धर्म को समाज से दूर नहीं किया जा सकता और इसे ऐसे ही बने रहना चाहिए। वह बताते हैं कि पवित्र ग्रंथों जैसे भगवद्गीता, कुरान और ग्रन्थ साहिब, में न केवल ज्ञान भरा पड़ा है, बल्कि इसमें कविता और संगीत की भी झलक मिलती है। वह अपनी बात को सिद्ध करने के लिए इन ग्रन्थों के संबंधित अंश भी पेश करते हैं। वह ग़ैर-मुस्लिमों द्वारा मुसलमानों के प्रति कई पूर्वाग्रहों का मकड़-जाल साफ़ करने की भी कोशिश करते हैं।

खुशवन्त सिंह का गुरु नानक और गुरु गोबिंद सिंह के युग का अध्ययन और गुरु ग्रंथ साहिब का उनका गहराई से किया गया विश्लेषण, भारतीय इतिहास के उथल-पुथल भरे चरण के नए पहलुओं को उजागर करता है। इस पुस्तक में ऐसा बहुत कुछ है, जिसका स्वाद और आनंद पाठक लंबे समय तक याद रखेंगे। इस मेन्यू में काफी विविधता है, जो हमारे तालू को गुदगुदा सकता है। पाठकों को कई जगह दोहराव मिल सकता है। लेकिन यह दोहराव इस बात को सुनिश्चित करने के लिए ज़रूरी है कि प्रत्येक अध्याय अपने आप में परिपूर्ण है।

❁❁❁

मैं, चैन्नई के एन. कृष्णामूर्ति का हार्दिक धन्यवाद करना चाहता हूं, जो खुशवन्त सिंह के ज़बरदस्त प्रशंसक हैं। उन्होंने दशकों से कई

पत्र-पत्रिकाओं में उनके द्वारा लिखे गए लेखों को इकट्ठा किया है। उन्होंने पूरी उदारता से अपना यह पूरा संग्रह, मुझे इसमें से लेख चुनने के लिए पेश किया।

मैं मुस्तफा कुरैशी को भी पूरी ईमानदारी से धन्यवाद देना चाहूंगा, जिन्होंने खुशवन्त सिंह की तस्वीरों का अपना खज़ाना मेरे लिए खोल दिया, ताकि मैं उनमें से अपनी पसंद की तस्वीरों का चुनाव कर सकूं।

और अंत में, अपने 'हे हाऊस' सहयोगियों के लिए धन्यवाद का एक शब्द — राजलक्ष्मी, जिन्होंने बड़ी मेहनत से पूरी पांडुलिपि को टाइप किया; ऐश्ना रॉय, जिन्होंने इस पुस्तक का मुख्य-पृष्ठ और इससे पहले की पुस्तक 'खुशवन्त सिंह ऑन वूमैन, सैक्स, लव एंड लस्ट' के मुख्य-पृष्ठ को 'डिज़ाइन' किया; राकेश कुमार, जिन्होंने पेज ले-आऊट और डिज़ाइन किया और के.जे. रविंद्र को इस पुस्तक की फाइन-ट्यूनिंग के लिए। इनके बिना इस पुस्तक का प्रकाशन सम्भव नहीं था।

अशोक चोपड़ा

1

एक नए धर्म की आवश्यकता
– ईश्वर के बिना

...कुछ मौकों पर मैं जब भी किसी गुरुद्वारे या मंदिर गया हूं, मैंने देखा है कि लोग ग्रंथ साहिब या अपने किसी ईष्ट देवता के सामने अपनी श्रद्धा प्रकट करते हैं। जो जितना ज़्यादा समय तक फर्श पर नाक रगड़ता है, वह दूसरों के बजाय कहीं अधिक झूठ बोलने, चोरी करने, विवाहेत्तर संबंध बनाने और ग़ैर-क़ानूनी ढंग से धन कमाने के लिए माफी मांगता है।

जॉर्ज बर्नार्ड शॉ ने कभी लिखा था कि हर बुद्धिमान आदमी अपना धर्म बनाता है हालांकि इसके सैकड़ों प्रारूप पहले से मौजूद होते हैं। मेरे लिए एक निजी धर्म विकसित करना जीवन भर की तलाश है। प्रसिद्ध शायर अल्लामा मोहम्मद इकबाल ने इसे इस तरह से कहा है –

''ढूंढ़ता फिरता हूं मैं, ऐ इकबाल! अपने आपको
आप ही गोया मुसाफ़िर, आप ही मंज़िल हूं मैं।''

मैं एक सिख के रूप में पैदा हुआ और सिख-मत में ही पला-बढ़ा।
मेरे माता-पिता दोनों रूढ़िवादी सिख थे, जो खालसा पंथ की परम्परा
का पालन करने वाले थे (पुरुषों के लिए केश और दाढ़ी रखना तथा
उग्रवादी* बिरादरी की दूसरी निशानियों के साथ रहना)। हमारे घर में
कई धार्मिक अनुष्ठान किए जाते थे। गुरु ग्रन्थ साहिब के लिए एक
अलग कमरा था। अमृत-बेला में परिवार के किसी-न-किसी सदस्य द्वारा
इसे एक पवित्र स्थान पर स्थापित करना होता था और संध्या समय
एक अलमारी में वापस रखना पड़ता था। हर किसी के लिए सुबह
जपजी साहिब का पाठ करना ज़रूरी था। घर के हर सदस्य को नाश्ते
से पहले, गुरु ग्रन्थ साहिब के एक या दो श्लोकों का पाठ करना पड़ता
था। शाम की प्रार्थना (रहरास) सभी मिलकर करते थे। हम बारी-बारी
से श्लोक पढ़ते, जबकि घर के दूसरे सदस्य उसे सुनते थे। हम में से
ज़्यादातर सदस्यों को सोने से पहले दिन की आख़िरी प्रार्थना (कीर्तन
सोहिला) करनी होती थी।

मेरे अठारह वर्ष के होने तक, मैं और मेरी दादी एक ही कमरे
में रहते थे। दादी का ज़्यादातर समय प्रार्थना करने में ही बीतता था।
हमारे घर पर अक्सर अखंड पाठ (विभिन्न पाठियों द्वारा गुरु ग्रन्थ
साहिब का पाठ, जो आदि से अंत तक बिना रुके दो दिन और दो
रात चलता है) रखा जाता था। कभी-कभी सम्पत का पाठ भी होता
था, जिसमें गुरु ग्रन्थ साहिब के प्रति 5000 श्लोकों के बाद एक
पसंदीदा भजन पढ़ा जाता है। इसमें एक पखवाड़े से ज़्यादा का
समय भी लग सकता है। इन सब पाठों के साथ (जिसमें उपस्थित
होना ज़रूरी होता था) पेशेवर रागियों (धार्मिक गीत गाने वाले)
द्वारा कीर्तन (भक्ति गीत) भी किया जाता था। सिखों के पहले गुरु,

* यहां 'उग्रवादी' से लेखक का मतलब उन सिखों से है जो अत्याचार सहन नहीं करते
और अत्याचारी को प्रतिक्रिया में वैसा ही उत्तर देते हैं — अनुवादक।

गुरु नानक देव जी और दसवें गुरु, गुरु गोबिन्द सिंह जी के जन्मदिन की वर्षगांठ के साथ-साथ पांचवें गुरु, गुरु अर्जुन देव तथा नौवें गुरु, गुरु तेग बहादुर जी की शहादत की वर्षगांठ पर हम गलियों में निकलने वाले जुलूस में शामिल होते और गुरुद्वारों में पूजा करते थे।

पांच वर्ष के एक बालक के रूप में मैंने धर्मग्रन्थों को पढ़ना शुरू किया और मैं उन्हें दिल से गाता था। सत्रह वर्ष की उम्र में मैंने अमृत चखने (पवित्र जल को पीने या ग्रहण करने की एक क्रिया) की रस्म में भाग लिया, जिसका अर्थ था कि मैं विधिवत 'खालसा' (इस शब्द का अर्थ है – शुद्ध) बिरादरी में शामिल हो गया हूं। जब मैं कॉलेज पहुंचा, तो मैंने इस प्रकार के धार्मिक अनुष्ठानों के मूल्य और खालसा परम्पराओं की आवश्यकता के संबंध में प्रश्न करने शुरू कर दिए। लेकिन अपने लिए कोई मुसीबत खड़ी करने के बजाय मैंने इन परम्पराओं के साथ जुड़े रहने का फ़ैसला किया। मैंने उन प्रार्थनाओं को जानने-समझने की कोशिश की, जिन्हें मैं गाया करता था। मैंने इन पवित्र कीर्तनों को करना जारी रखा, जो मेरे भावनात्मक तंतुओं को छूते थे।

इस दौरान, जब मैं सेंट स्टीफेन्स कॉलेज, दिल्ली में पढ़ रहा था, मैंने बाइबल की कक्षाओं में भाग लिया। हालांकि मेरा ज़ोर 'न्यू टेस्टामेंट' और जीसस क्राइस्ट के जीवन पर था, लेकिन यह 'ओल्ड टेस्टामेंटस' की भाषा ही थी, विशेषकर साल्म (या साम) भजनों की, जो सोलोमन के गीत और पवित्र कार्यों की पुस्तक है* जिसके कारण मैंने खुद को तैयार पाया। बाद में, जब मैं सिख ग्रन्थों के अनुवाद पर काम कर रहा था, तब मुझे इसमें वेदों, उपनिषदों और महाकाव्यों के ढेर सारे संदर्भ मिले, जिसमें गीता और भगवद्गीता भी शामिल हैं। तब मैंने इन सभी ग्रन्थों, महाकाव्यों का मनन करने का निश्चय किया, ताकि मैं अपनी गुरु वाणी या गुरबाणी (अपने गुरुओं द्वारा बोले गए पवित्र शब्द) के अर्थ बेहतर ढंग से समझ सकूं। जैन धर्म, बौद्ध धर्म और हिन्दू धर्म

---

* यह ओल्ड टेस्टामेंट का ही एक भाग है – अनुवादक

को मैं जितना पढ़ कर जान सका, वह धर्म में मेरी रुचि के कारण ही था। इन सबमें इस्लाम आख़िरी धर्म था, जिसकी ओर ेरी रुचि हुई, ताकि मैं आपको मुस्लिम-विरोधी पूर्वाग्रहों से मुक्त कर सकूं। मेरे लाहौर में कृष्ण वर्ष रहने और मंजूर कादिर (एक प्रमुख विधिवेत्ता) के निकट सहयोग के दौरान ही मैं सब धर्मों की मान्यताओं पर प्रश्न उठाने लगा था। एक मुसलमान होने के बावजूद उन्होंने कभी नमाज़ नहीं पढ़ी – न घर में, न मस्ज़िद में। यहां तक कि ईद के त्योहार पर भी नहीं। और न ही उनके ्क़ल सलीम, जो कई सालों तक भारत के टेनिस चैम्पियन रहे, ने कभी ऐसा किया। उन्होंने एक मुस्लिम नवाब के बजाय एक यूरोपीय रईस की तरह रहना अधिक पसंद किया। एक मुसलमान के रूप में पैदा होने की दुर्घटना के अलावा, उनके लिए मुसलमान होने के कोई मायने नहीं थे। दोनों में से किसी ने भी धर्म को मुद्दा नहीं बनाया, लेकिन मेरे लिए वह एक अहम मसला था। किसी भी धर्म ने मेरे मन में बहुत ज़्यादा उत्साह पैदा नहीं किया। भारत ने 15 अगस्त, 1947 को आज़ादी प्राप्त की और मुझे दूसरों का अनुसरण करने वाले धर्म से स्वतंत्रता हासिल हुई। अब मैंने खुले तौर पर अपने आपको अनीश्वरवादी घोषित कर दिया।

1963 में सिख धर्म और उसके इतिहास पर 'ए हिस्ट्री ऑफ़ द सिख 'स' शीर्षक से, प्रिन्सटन यूनिवर्सिटी प्रेस और ऑक्सफोर्ड यूनिवर्सिटी प्रेस द्वारा दो संस्करण प्रकाशित होने के बाद, मुझे स्पॉल्डिंग फाउंडेशन द्वारा ऑक्सफोर्ड यूनिवर्सिटी में सिख मत पर तीन व्याख्यान देने के लिए आमंत्रित किया गया। इसके अलावा प्रिन्सटन, स्वार्थमोर और हवाई विश्वविद्यालयों द्वारा (ये तीनों संयुक्त राज्य अमरीका में हैं) भी तुलनात्मक धर्मों पर व्याख्यान के लिए बुलाया गया। एक बार फिर मुझे दुनिया के प्रमुख धर्मों के धर्म-ग्रन्थों और उनके संस्थापकों के जीवन के बारे में अध्ययन करना पड़ा।

इन सब कुछ पर लिखने और व्याख्यान देने के बाद, अब मैं मानसिक रूप से अपने आपको धार्मिक विश्वासों और प्रथाओं संबंधी ज्ञान पर अच्छी तरह तैयार कर चुका था। मैंने न केवल अपने

लिए एक निजी धर्म की ज़रूरत को पहले से अधिक महसूस किया, बल्कि उन भारतीयों के लिए भी एक नए विश्वास को विकसित करने की आवश्यकता को महसूस किया, जिनमें अपने लिए कुछ सोचने या विचारने का जज़्बा था। इसके पीछे अवधारणा है कि ज़्यादातर लोगों को उस विश्वास की ज़रूरत रहती है; जिसमें वह भावनात्मक खुराक उस धर्म द्वारा प्रदान की जाती है, जिसमें वह जन्म लेता है और जिसके संस्कार उसके लालन-पालन का एक हिस्सा होते हैं।

मुझे लगता है कि आज इस बात की ज़रूरत है कि किसी के जन्म के धर्म में, उसके इर्द-गिर्द का कचरा साफ़ करने के बाद जो कुछ बुनियादी और तर्कसंगत हो उसे स्वीकार किया जाए। मैं यहां अपने धर्म का एक खाका पेश करता हूं, ताकि मुझसे अधिक बुद्धिमान मेरे देशवासी इस पर अपने विचार प्रकट करें।

लेकिन इससे पहले, मैं पांच बातें बताना चाहूंगा, जिन्हें आम तौर पर सभी धर्मों का आधार माना जाता है — ईश्वर में विश्वास करना, सभी धर्मों के संस्थापकों का पूरा सम्मान करना, धर्मग्रन्थों की प्रतिष्ठा, पूजा-स्थलों की पवित्रता और प्रार्थनाओं व अनुष्ठानों का उपयोग। चूंकि मुझे जिन विषयों पर कुछ कहना है वे अत्यंत महत्वपूर्ण और नकारात्मक दिखाई दे सकते हैं, मैं बाद में इनकी सकारात्मक स्वीकृति के लिए अपनी बात रखूंगा।

ईश्वर की अवधारणा

हर धर्म में अगले जन्म व ईश्वर की अपनी अलग अवधारणा है। वह जिहोव'* भी है और ईश्वर, परमात्मा, रब्ब, खुदा, अल्लाह और वाहेगुरु भी। वह मूर्तियों, जानवरों और अन्य प्राकृतिक घटनाओं के रूप में भी हो सकता है या किसी अमूर्त रूप में भी। उसे एक माना जा सकता है, त्रिमूर्ति भी अथवा भगवान के कई रूपों में भी। सभी धर्मों में ईश्वरीय अवधारणा के तरीके कितने भी अलग-अलग क्यों न हों,

---

* हिब्रू से रूपांतरित 'ओल्ड टैस्टामैंट (बाइबल) में ईश्वर का नाम — अनुवादक

लेकिन उनमें एक बात समान है — परमात्मा को विशेष शक्ति प्रदान करना। वह रचयिता है, संरक्षक है और विनाश करने वाला भी है। वह अंतर्यामी है, सर्वशक्तिमान है, सर्वव्यापी है। वह न्याय करने वाला, अपने वफादारों के लिए कृपालु और दयावान है। इसी के साथ, वह एक क्रोधित भगवान है जो अपराधियों को सज़ा भी देता है। वह कुछ भी हो, हमें दार्शनिक-संत, आदि शंकराचार्य द्वारा हज़ारों वर्ष पूर्व उठाए गए प्रश्नों पर विचार करना होगा और उनके उत्तर तलाशने होंगे —

'कुस्त्वम्? कोऽहम्? कुतः आयताः?
को मे जननि? को मे तातः?'

(मैं कौन हूं? मैं कहां से आया और कैसे? मेरे वे वास्तविक पिता व माता कौन हैं जिन्होंने मुझे जन्म दिया?)

यदि ईश्वर का अस्तित्व नहीं है, तो हमें यह मानना होगा कि हमारे सभी ईश्वरीय क्रिया-कलाप ग़लत हैं। फिर भी, अलग-अलग धर्मों में इन प्रश्नों के अलग-अलग उत्तर दिए गए हैं। इन उत्तरों को दो भागों में बांटा जा सकता है — वे, जो यहूदी धर्म की विचारधारा वालों के द्वारा दिए गए हैं — यहूदी धर्म, ईसाई धर्म और इस्लाम। जो हिन्दू धर्म की विचारधारा ने दिए हैं — हिंदू धर्म, जैन धर्म, बौद्ध धर्म तथा सिख धर्म।

यहूदी सम्प्रदाय का मानना है कि ईश्वर ने दुनिया की रचना की, मानव-जाति के प्रसार के लिए आदम और हव्वा को भेजा और जीवन के अन्य सभी रूप बनाए। इसके अनुसार, सारी दुनिया एक दिन समाप्त हो जाएगी और फिर न्याय का दिन आएगा (द डे ऑफ़ जजमेंट) जब लोग अपनी कब्रों से बाहर आएंगे और उनके जीवन के अच्छे या बुरे कामों का निर्णय किया जाएगा, जिसके आधार पर उन्हें स्वर्ग या नरक में जगह मिलेगी। यहूदी, ईसाई व इस्लाम धर्म के जीवन संबंधी विचार बिल्कुल सीधे हैं जिसमें एक आरम्भ है, एक मध्य है और एक अंत है।

हिंदू विचारधारा के अनुसार जीवन कई चक्रों में चलता है — इसमें न कोई आरम्भ है, न कोई अन्त, बल्कि यह जन्म, मृत्यु और पुनर्जन्म का लगातार चलने वाला और कभी न खत्म होने वाला चक्र है। स्वर्ग या नरक जैसी कोई चीज़ नहीं होती (हालांकि हिंदू धर्म में स्वर्ग और नरक शब्दों का इस्तेमाल किया जाता है), किंतु आपको लगता है कि किसी इंसान के अच्छे कर्मों के लिए इनाम और बुरे कर्मों के लिए सज़ा के आधार पर उसके दूसरे जन्म का निर्धारण होगा? इसमें संसार से मुक्ति को स्वर्ग के बराबर माना गया है और अनंत से जुड़ने (योग) को ईश्वर माना गया है। यही मोक्ष है। बुरे कर्मों के लिए सभी चौरासी योनियों (जूनों) में दुबारा जन्म लेने की यातना भोगनी होगी, तभी मनुष्य को रिहाई मिलती है।

फिर भी, सरल यहूदी संस्करण की तुलना में 'दुनिया' का कहीं ज़्यादा परिष्कृत हिंदू सिद्धांत उपलब्ध है, क्योंकि आदम (एडम), हव्वा (ईव) और न्याय के दिन (डे ऑफ़ जजमेंट) की वैधता के बारे में बहुत कम सबूत मिलते हैं। एक ईमानदार सच्चाई यह है कि हम जानते ही नहीं कि हम कहां से आए हैं? धरती पर हमारे अस्तित्व का कोई दैवीय उद्देश्य है भी या नहीं?... न ही हमें यह पता है कि मृत्यु के बाद हम किधर जाएंगे? हमारे अज्ञान की सच्चाई शाद अजीमाबादी ने अपनी एक रूबाई में इस तरह व्यक्त की है —

हिकायत-ए-हस्ती सुनी तो दरम्यां से सुनी
न इब्तिदा की ख़बर है, न इंतिहा मालूम

मैंने जीवन की कहानी जो सुनी तो हमेशा मध्य से ही सुनी।
न तो आरम्भ का पता है, न अंत का

इन परिस्थितियों में, अगर एक समझदार व्यक्ति से पूछा जाए कि 'क्या ईश्वर का अस्तित्व है?' तो वह यही उत्तर दे सकता है कि 'मैं नहीं जानता।'

यहां याद दिला दें कि गौतम बुद्ध के सामने भी यही प्रश्न उनके प्रमुख शिष्य और उनके भतीजे, आनंद ने एक बार नहीं, बल्कि कई बार रखा था। ज्ञानी गौतम बुद्ध ने इसका उत्तर देने की कोई कृपा नहीं की। उनकी इस चुप्पी से हम यह निष्कर्ष निकाल सकते हैं कि या तो वह चाहते थे कि इस प्रश्न का उत्तर लोग स्वयं खोजें या फिर यह स्वीकार करना होगा कि वह स्वयं भी इसका उत्तर नहीं जानते थे।

मौलाना अब्दुल आजाद ने 'सुराह-उल-फतीहा' के तीन संस्करणों में से पहले संस्करण के अनुवाद की मीमांसा और कुरान, तर्जुमान-अल-कुरान, पर टिप्पणी करते हुए कहा था कि सारी मानव-जाति जो एक समय एकेश्वरवादी, लेकिन एक सर्वशक्तिमान ईश्वर की अवधारणा से ही चली है, विभिन्न धार्मिक प्रणालियों के साथ चलती थी।

वह आगे लिखते हैं कि अल्लाह की एकता का इस्लामिक विचार सबसे उन्नत था, क्योंकि यह ईश्वर को कोई भी आकार या रूप देने से साफ़ मना करता है, जो कि उपनिषदों की नकारात्मक नेति (नेति यानी यह नहीं... यह नहीं का भाव) से बिल्कुल अलग है, लेकिन उसने (इस्लाम ने) भगवान को महान भरण-पोषण करने वाला (अल-रज्जाक) कह कर उसे एक सकारात्मक गुण प्रदान किया। ब्रह्माण्ड का शासक (रब्ब-अल-अलमीन), उदार और दयालु (अल-रहमान, अल-रहीम) मनुष्य के कार्यों का अंतिम मध्यस्थ (मालिक-ए-यामिद्दीन — सबके हिसाब-किताब के दिन का मालिक) है।

मौलाना ने सब प्राणियों को भगवान के प्रति ज़िम्मेदार ठहराने के लिए भी कुरान का हवाला दिया। उनका यह तर्क फ्रांसीसी विद्वान, लेखक-इतिहासकार फ्रेंकोइस मैरी ऐरा (जो वाल्तेयर के नाम से प्रसिद्ध हैं) के इस विचार से बिल्कुल मिलता-जुलता है — 'हम शायद ही विश्वास कर पाएं कि एक घड़ी निर्माता के बिना भी घड़ी बन सकती है।' न वाल्तेयर, न ही मौलाना और न कोई अन्य व्यक्ति जो यह मानता है कि हर परिणाम का एक कारण होना चाहिए, यह साबित करने में सक्षम है कि अगर भगवान कारण है (पैदा करने वाला) और

पूरी दुनिया एक परिणाम, तो किसने भगवान को पहले स्थान पर रखा। यही प्रमुख कारण है जिसके बारे में हम कुछ नहीं जानते।

भगवान का अस्तित्व है या नहीं, इस व्यर्थ की बहस में पड़ने के बजाय, यह दिमाग़ में रखना अधिक महत्वपूर्ण है कि भगवान के अस्तित्व में विश्वास करने से इंसान के अच्छे या बुरे नागरिक होने पर कम ही असर पड़ता है। एक व्यक्ति ईश्वर में विश्वास न रखकर भी सज्जन पुरुष हो सकता है और एक बुरा खलनायक भी भगवान में विश्वास रख सकता है। मेरे निजी धर्म में, भगवान का कोई अस्तित्व नहीं है।

धर्मों के संस्थापक

सभी धर्मों के संस्थापक, ईश्वर की अपेक्षा अधिक श्रद्धेय हैं। इसका कारण यह है कि हम भगवान को जानने के बजाय अर्चना, आस्था के संस्थापकों के बारे में अधिक जानते हैं — चाहे वे भविष्य-वक्ता हों, मसीहा, दूत, अवतार या गुरु, वे सब मानव ही थे, जिन्हें महामानव की शक्तियां प्राप्त थीं जिससे वे जनता पर अपना प्रभाव बनाने में कामयाब होते थे। कई साल बीतने के साथ, कई कहावतें बनने लगीं कि वे मनुष्य नहीं रहे और वे ईश्वर का अवतार, ईश्वर की संतान और उसके विशेष रूप से चुने गए दूत बन गए हैं, जिनका ईश्वर के साथ सीधा संबंध है।

भगवान की तुलना में उसके अवतार को एक ऊंचा दर्जा देने का उदाहरण वर्तमान इस्लाम में भी दिखाई देता है। आप अल्लाह के बारे में कोई मज़ाक बना सकते हैं, लेकिन कोई भी उनके दूत पैगम्बर मोहम्मद की तरफ़ उंगली उठाए तो वे शोक में डूब जाते हैं — बा खुदा दीवाना बाशो, बामुहम्मद होशियार! (अल्लाह के बारे में आज जो भी चाहें कह लें, लेकिन पैगम्बर मुहम्मद के विरुद्ध कुछ कहने की हिमाकत न करना) इसी रवैये ने 'द सैटानिक वर्सेज़ (शैतानी आयतें) लिखने पर, सलमान रुशदी के ख़िलाफ़ फतवा जारी किया था, प्रख्यात अमरीकी अर्थशास्त्री और कभी भारत में राजदूत रहे प्रोफेसर जॉन कैनेथ

गालब्रेथ के विरुद्ध तब हंगामा खड़ा कर दिया था, जब लोगों को यह पता चला कि उन्होंने अपनी एक पालतू बिल्ली का नाम अहमद रखा है, जो मुसलमानों के पैगम्बर मुहम्मद का भी नाम है। लोगों ने तब बंगलौर में 'द डक्कन हैरॉल्ड' के कार्यालय को आग के हवाले कर दिया, जब उसमें 'मोहम्मद द इडियट' नाम से एक कहानी प्रकाशित हुई। कहानी का पैगम्बर मोहम्मद से कोई लेना-देना नहीं था, जबकि यह मोहम्मद नाम के एक पागल आदमी की कहानी थी।

सच तो यह है कि हमारे पास शायद ही कोई विश्वसनीय ऐतिहासिक सबूत हो, जो यह बता सके कि विभिन्न धर्मों के संस्थापक ऐसे रहे होंगे। उन्हें नज़रअंदाज कर हमने घोर अन्याय किया है। हमने उन्हें अद्वितीय और मानवीय प्रयासों से बिल्कुल परे कर दिया है। अपने निजी विचारानुसार, मैं इन ईश्वरीय दूतों, अवतारों वगैरह को ऐतिहासिक रूप से आम व्यक्ति के रूप में उचित सम्मान देना चाहूंगा, जिन्होंने मानवीयता के लिए बहुत अच्छा काम किया है।... बस, इससे ज़्यादा कुछ नहीं।

धर्मशास्त्र

सभी धर्मशास्त्र भय दिखाते हैं, चाहे वे ईश्वर के शब्दों के रूप में हों या फिर दिव्य शक्तियों से प्रेरित कथन के रूप में। मैंने कई बार उनको अनुवाद रूप में पढ़ा है और मैं यह देख कर हैरान होता हूं कि वे अपने भावनात्मक जोश से कितना उत्तेजित करते हैं! सबसे भड़काऊ तो वे होते हैं जो अपने द्वारा गाए गए भजनों के रटे-रटाए शब्दों के अर्थ के बारे में बिल्कुल भी परवाह नहीं करते। मैं यह विश्वास के साथ कह सकता हूं कि यदि वे अपने बोले शब्दों को ऐसी भाषा में अनुवाद करके सुनें, जिसे वे समझते हैं तो उनका पूरा जोश ठंडा पड़ जाएगा। बिना किसी अपवाद के यह कहा जा सकता है कि उसकी विषय-सामग्री अवैज्ञानिक है। इसके लिए इनके लेखकों को दोषी नहीं ठहराया जा सकता, क्योंकि उनके समय में, विज्ञान शायद ही इतना

उन्नत होता था। विज्ञान के विपरीत होने के अलावा, ये बार-बार दोहराए गए और उबाऊ होते हैं।

वे जो अच्छे आचरण और नैतिकता से जुड़े होते हैं, वे समाज को स्थिरता प्रदान करने में उपयोगी होते हैं। मैं अपने तर्कों के पक्ष में अक्सर बाइबल, कुरान, उपनिषदों, गीता और ग्रन्थ-साहिब का हवाला देता हूं, लेकिन यदि साहित्य के नज़रिए से देखें तो कालिदास, हफीज़ (ख्वाजा शम्स अल-दीन मुहम्मद हफीज-ए-शिराजी) सादी शिराजी, विलियम शेक्सपियर, योहान्न वीरफगॉग वॉन गोएथे, लिओ टॉलस्टॉय, मिर्ज़ा ग़ालिब, रविन्द्रनाथ टैगोर, मोहम्मद इकबाल, फैज़ अहमद फैज़ तथा इनसे कमतर कवियों के महान ग्रन्थों से इनकी तुलना नहीं की जा सकती ।

यह मेरी व्यक्तिगत प्रतिक्रिया है, जो मैंने कभी किसी से सांझा नहीं की। मैं जितने भी लोगों से मिला हूं, ज़्यादातर लोग अपने धर्मग्रन्थों के कहे अनुसार ही चलते हैं। वे उनके मंत्रों या भजनों को गाते हैं, उनके सिर परम आनन्द की स्थिति में लहराते हैं और परिणामस्वरूप वे दिमागी शान्ति प्राप्त करने का दावा करते हैं। सो, मैं कौन होता हूं उन्हें यह बताने वाला कि उनकी प्रतिक्रियाएं लगातार उन पर लादे गए विचारों से संचालित होती हैं और वे आत्म-सम्मोहन का ही एक रूप है। फिर भी, निश्चित रूप से वे मुझे दोष नहीं दे सकते। जब मैं कहता हूं कि शास्त्रों को पढ़ना और समझना अवश्य चाहिए, लेकिन उनकी पूजा नहीं की जानी चाहिए। गुरु-नानक जी ने ऐसे ही लोगों, जो बिना सोचे समझे प्रार्थना या पाठ करते हैं, के बारे में कहा है –

सुध न बुध, न अकल सार
अक्खर का भयो न हलन्त
नानक से, नर असल खार
जे बिन गुण गरभ करन्त

(न तो उनमें समझ है, न समझ के योग्य दिमाग़। वे शब्दों के अर्थ जानने की कोशिश भी नहीं करते। हे नानक! वे निरे मूर्ख हैं जो सत्कर्म किए बिना गर्व से भरकर डींग हांकते हैं)

यह विडम्बना ही है कि ऐसे लोग नानक के अनुयायी होना चाहते हैं, जिन्होंने ईश्वर को निराकार घोषित किया तथा मूर्ति-पूजा की मनाही की है और वह उनकी तथा उनके गुरुओं के लिखे को ही मूर्ति मान उसे पूजा के योग्य समझते हैं। वे गुरु ग्रन्थ साहिब को रेशम और जरी के वस्त्र में लपेटकर रखते हैं। सुबह उठ कर इसका पाठ करते हैं और शाम को समेट कर रख देते हैं। पवित्र दिनों में जुलूस में लेकर चलते हैं, सारी रात प्रोफेशनल ग्रंथियों द्वारा इसका पाठ करवाते हैं जबकि वे स्वयं रात की नींद ले रहे होते हैं। ग्रंथियों की फीस भी तय है — कुशल ग्रन्थी; जिनका उच्चारण बिल्कुल साफ़ होता है, की अपेक्षा नौसिखिए ग्रंथियों की फीस कम होती है।

सिर्फ़ सिख ही ऐसे नहीं हैं जो धर्मग्रन्थों की पवित्रता के उपहासजनक अनुकरण में मशगूल हैं। हिन्दुओं के अपने लगातार चलने वाले भजन-कीर्तन होते हैं; मुसलमान एक क़दम आगे बढ़ जाते हैं और सभाओं में कुरान के अंश बांटते हैं, जिन्हें सभी एक साथ पढ़ते हैं। इस तरह पूरी कुरान एक घंटे से भी कम समय में पढ़ी जाती है।

पूजा-स्थल

मेरा मानना है कि पूजा की सबसे तर्क-संगत जगह है — घर। फिर भी, यहां इस्लाम जैसे धर्म हैं जहां, लोग धार्मिक दायित्व के निर्वाह के लिए मस्जिद में नमाज़ पढ़ने के लिए इकट्ठा होते हैं। ईसाई धर्म के लोग भी रविवार के दिन चर्च में प्रार्थनाएं करने के लिए जुटते हैं। हिन्दू तथा सिख धर्मस्थलों में अक्सर कथा-कीर्तन किए जाते हैं, जिन्हें सुनने के लिए भीड़ न जुटने पर वे अपना प्रभाव खो देते हैं।

भारत जैसे देश में, क्लब, शराबखाने और सिनेमा हॉल जैसे मनोरंजन के कई साधन हैं, जो ग़रीब लोगों के सामर्थ्य से परे हैं,

इसके विपरीत पूजा स्थल उनके तथा उन जैसे दूसरे लोगों के लिए मनोरंजन का मुफ़्त तथा हानिरहित साधन मुहैया कराते हैं। हाल के दिनों में पूजा स्थल लड़ाई-झगड़े की जगहों में तब्दील हो चुके हैं, जिनका धार्मिक गतिविधियों के अलावा अपने विचारों का प्रचार करने के लिए भी दुरुपयोग किया जाता है। कुछ साल पहले, मुसलमानों के सबसे पवित्र स्थल, सऊदी अरब के मक्का में घमासान युद्ध के दृश्य देखने को मिले थे। भारत में मस्जिदों, मंदिरों और वक़्फ़ (क़ानून के अनुसार संस्था का प्रबंध देखना) पर नियंत्रण को लेकर लंबी मुकदमेबाज़ी होती रही है। 1980 की शुरुआत में सिखों के सबसे पवित्र धर्म स्थल अमृतसर के स्वर्ण मंदिर, जिसे अकाल तख़्त के नाम से जाना जाता है, को कुछ युवा लोगों ने बंदूक के बल पर अपने नियंत्रण में ले लिया था। यहां गुरुओं के शांति संदेशों को आगे बढ़ाने की बजाय, नफ़रत फैलानी शुरू कर दी थी। जून 1984 में तत्कालीन प्रधानमंत्री इंदिरा गांधी ने भारतीय सेना को, उन लोगों को वहां से खदेड़ने के अधिकार दे दिए, जिसने सिख सम्प्रदाय के लोगों की भावनाओं को बहुत चोट पहुंचाई (यह ऑपरेशन ब्लू-स्टार के नाम से जाना गया)। हिन्दू कट्टरपंथियों द्वारा 6 दिसंबर, 1992 को अयोध्या में (उत्तर-प्रदेश) बाबरी-मस्जिद के ढहाए जाने को कौन भूल सकता है, जिसके परिणामस्वरूप देश-भर में भारी संख्या में दंगे हुए थे।

मैं इस बात से सहमत हूं कि अब समय आ गया है कि सरकार को और पूजा-स्थलों के बनने पर रोक लगा देनी चाहिए (हमारे यहां पहले से ही इतनी इमारतें पूजा-स्थलों के लिए मौजूद हैं) और सार्वजनिक स्थलों को धार्मिक आयोजनों के लिए प्रयोग करने से साफ़ मना कर देना चाहिए। जब भी कोई पूजा-स्थल झगड़े का कारण बने या अवांछित तत्वों द्वारा पूजा स्थलों को ग़ैर धार्मिक गतिविधियों के लिए प्रयोग में लाया जाने लगे तो सरकार को उनके प्रबंधन पर अपना नियंत्रण कर लेना चाहिए। इन पूजा-स्थलों पर पादरियों, पंडों (हिंदू पंडित जो वंशावली बनाने में माहिर माने जाते हैं), ग्रन्थी, इमाम (मस्जिदों में नमाज़ पढ़ाने वाले) और रागियों के अधिकारपूर्ण हित जुड़े

होते हैं और जिनकी रोजी-रोटी इन्हीं पूजा-स्थलों के शोषण पर निर्भर होती है। इन सबका अन्त होना चाहिए। इन पूजा घरों के संबंध में मेरी भावनाएं, एक पंजाबी सूफी कवि, बुल्लेशाह के शब्दों में बड़े सुंदर ढंग से व्यक्त हुई हैं –

मस्जिद ढहा दे, मंदिर ढहा दे
ढहा दे जो कुछ ढहेंदा
इक किसे दा दिल का ढहावीं
रब्ब दिलां विच रहंदा

मस्जिद तोड़ दो, मंदिर तोड़ दो, तोड़ दो जो कुछ तोड़ सको
लेकिन किसी का दिल न तोड़ो, इन दिलों में ईश्वर रहता।

प्रार्थना और ध्यान–चिंतन

इस पर कोई विवाद नहीं हो सकता कि हम भारतीय लोग, चाहे हम हिंदू हों, मुसलमान, ईसाई, सिख या पारसी, दुनिया के अन्य लोगों की अपेक्षा कहीं अधिक समय धार्मिक रीति रिवाज़ों में बिताते हैं। हिंदी की एक कहावत है – सात वार और आठ त्योहार यानी सप्ताह में केवल सात दिन होते हैं, लेकिन इन सात दिनों में आठ धार्मिक त्योहार होते हैं – यह कहावत कोई अतिश्योक्ति नहीं है। यदि हम धार्मिक छुट्टियां, राष्ट्रीय व विभागीय छुट्टियां गिनें और उनमें लोगों द्वारा पूजा-पाठ करने और मंदिर मस्जिद, चर्च और गुरुद्वारे जाने में बिताए गए घंटे, धार्मिक स्थानों पर तीर्थ यात्रा पर जाने के दिन, सत्संगों (धार्मिक सभाओं), प्रवचनों (धार्मिक उपदेशों), भजन और जागरण (सारी रात गाए जाने वाले भक्ति गीत) वग़ैरह को जोड़ कर देखें तो एक हैरान कर देने वाली संख्या हमारे सामने आती है। तब हम अपने आपसे यह पूछें कि क्या हमारे जैसा ग़रीब विकासशील देश इतने लाखों श्रम दिवसों का नुक़सान सह सकता है, जिससे कोई भौतिक

लाभ नहीं होता?...। हम अपने आपसे यह भी पूछ कर देखें कि धार्मिक अनुष्ठान या पवित्र माला के मानकों की गिनती करते रहने से क्या हम बेहतर इंसान बन सके हैं? क्या यह सच नहीं है कि डकैती के एक अभियान पर जाने से पहले डकैत लोग भी पूजा-पाठ करते हैं?... और क्या कर चुकाने वाले और कालाबाज़ारी करने वाले अक्सर धार्मिक श्रद्धालु नहीं होते?

कुछ मौकों पर मैं जब भी किसी गुरुद्वारे या मंदिर गया हूं, मैंने देखा है कि लोग ग्रंथ साहिब या अपने किसी ईष्ट देवता के सामने अपनी श्रद्धा प्रकट करते हैं। जो जितना ज़्यादा समय तक फ़र्श पर नाक रगड़ता है, वह दूसरों की अपेक्षा कहीं अधिक, झूठ बोलने, चोरी करने, विवाहेत्तर संबंध बनाने और ग़ैर-क़ानूनी ढंग से धन कमाने के लिए माफी मांगता है। यहां एक मज़ेदार, लेकिन एक बेकार-सी कविता याद आती है, जो रावलपिंडी या कैम्पबैलपुर जिला (अब पाकिस्तान में) के पोथोहारी (या पोथवारी) व्यापारी समुदाय से संबंधित है, जिन्हें उनकी व्यापारिक सूझबूझ के साथ-साथ धार्मिकता के लिए भी जाना जाता है –

कूर वी असीं मारने यां
घट वी असीं तोलने यां
पर सच्चे पातशाह
असीं नाम वी तेरा लैने यां

झूठ भी हम अक्सर बोलते हैं, कम भी अक्सर तोलते हैं
लेकिन ऐ मेरे सच्चे ईश्वर, हम नाम भी तेरा जपते हैं।

मैं यह मानता हूं कि यह विशुद्ध रूप से व्यक्ति पर निर्भर करता है कि वह अपना समय किस ढंग से बिताना चाहता है। यदि उन्हें प्रार्थना करने और अनुष्ठान करने से मानसिक शांति मिलती है तो उन्हें पूरा अधिकार है कि वे जितनी देर चाहे, प्रार्थना कर सकते

हैं, अगरबत्तियां जला सकते हैं और अपनी दिल की खुशी के लिए मंदिर की घंटियां बजा सकते हैं, लेकिन उन्हें या किसी दूसरे को यह अधिकार नहीं है कि वे अपनी धार्मिकता दूसरों पर थोपें। इसके विपरीत अक्सर देखा जाता है कि हम अपने दूसरे साथी नागरिकों की सुविधा और भावनाओं का ख़्याल किए बिना ऐसा करते हैं। दूसरों के लिए चिंता न करने का एक उदाहरण है लाउडस्पीकर का प्रयोग, जिसे लोग नमाज़ पढ़ने (मस्जिद की अज़ान की आवाज़), कान फोड़ू कीर्तनों, भजनों और प्रवचनों के लिए प्रयोग में लाते हैं। इसका सबसे अधिक पागलपन से भरा उदाहरण है सारी रात चलने वाले जागरण जो पूरे इलाके की नींद में बाधा डालते हैं, बच्चे अपनी पढ़ाई में ध्यान नहीं लगा पाते, बीमार व्यक्ति आराम नहीं कर सकते और यदि किसी घर में मौत हुई हो तो उस परिवार के लोग शांति से रो भी नहीं सकते। अपनी धार्मिक प्रथाओं को दूसरों पर लादने का दूसरा उदाहरण है, भीड़ भरी सड़कों-गलियों में जुलूस निकालना जिसे रोका भी नहीं जा सकता। इससे इनकार नहीं किया जा सकता कि इससे नागरिक जीवन विचलित होता है। ईसाई और मुसलमान लोग कभी-कभार ही जुलूस निकालते हैं। कैथोलिक धर्म के अनुयायी कभी-कभी कुमारी मारिया या संतों की मूर्ति लेकर गलियों में निकलते हैं और शिया मुसलमान, मुहर्रम के दिनों में ताजिया का जुलूस निकालते हैं, लेकिन हिंदू और सिख इन धार्मिक कार्यों को अपना जन्म-सिद्ध अधिकार मानते हैं। हिंदू देवी-देवताओं को समय समय पर हवा देने के लिए बाहर निकाला जाता है। मां काली और मां दुर्गा की प्रतिमाओं को नदियों में विसर्जित करने से पहले गलियों-सड़कों पर घुमाया जाता है। इसी तरह गणपति को भी। साथ में लाउडस्पीकर पर ज़ोर-ज़ोर से चिल्लाया जाता है 'गणपति बाप्पा मोरया।' जगन्नाथपुरी में रथ-यात्रा के अवसर पर बहुत भारी जुलूस निकाला जाता है जिससे पूरे शहर भर की दूसरी गतिविधियां ठप्प हो जाती हैं। सिख अपने गुरुओं के जन्मदिन और उनके शहीदी दिवस की वर्षगांठ पर जुलूस निकालते हैं। उन्हें इससे कोई मतलब नहीं कि इससे हिंदुओं या मुसलमानों को कैसा लगता है। यह ध्यान देने योग्य

बात है कि हिंदू-मुसलमानों में दंगों की सबसे बड़ी वजह यह है कि हिंदुओं के जुलूस मस्जिदों के पास से तभी निकलते हैं, जब मुसलमान नमाज़ अता कर रहे होते हैं।

सरकार को धार्मिक जोश के अनावश्यक प्रदर्शन को रोकने में पहल करनी चाहिए। संविधान के माध्यम से यह प्रतिबद्धता है कि जीवन पर एक वैज्ञानिक दृष्टिकोण को मन में अपनाया जाए। ऐसा करने के बजाय, सरकारी मीडिया, जैसे आल इंडिया रेडियो और दूरदर्शन धार्मिक समारोहों और भजन गायन के द्वारा धार्मिक प्रचार को स्वीकृति प्रदान करता है। कुछ टी.वी. चैनलों पर अधिकांश समय धार्मिक प्रसारण होता रहता है।

सबसे ग़लत बात तो यह है कि धर्म रथ बिना रुके चलता रहता है और उसे मीडिया की पूरी कवरेज मिलती है। सरकारी प्रचार तंत्र पर धार्मिक प्रचार करना धर्म-निरपेक्षता की भावना के विरुद्ध है और इनके खिलाफ़ उठने वाली आवाज़ों को अनीश्वरवादी कुत्तों के भौंकने के समान नज़रंदाज कर दिया जाता है। काफी समय पहले मैंने दूरदर्शन पर एक निरंकारी गुरु के जन्म-दिन पर घंटा-भर लंबा कार्यक्रम देखा था। निरंकारियों* के लिए मेरे दिल में किसी भी तरह की दुर्भावना नहीं है। इसके विपरीत, अकाल तख्त से जारी हुक्मनामे (फरमान) के बावजूद मैंने उनके धार्मिक विश्वास के प्रचार को समर्थन दिया है। मेरे लिए जो हजम कर पाना मुश्किल था, वह था उनके युवा गुरुओं पर प्रशंसात्मक जय गानों की बारिश करना। वहां कुछ दुखी लगने वाली विदेशी युवा औरतें थीं, जिन्होंने उनकी कृपाओं के बारे में पर्चे पढ़े। उसके बाद दूसरे दर्जे के कवियों की बारी थी, जिन्होंने उनकी शान में कसीदे पढ़े। ऐसे जैसे कि वे किसी शादी में सहरास का पाठ कर रहे हों। इसमें संदेह नहीं कि उन्हें तुकबंदी (कविताएं पढ़ना) करने के लिए पैसे दिए गए थे। उनसे प्रभावित होना तो दूर, मैंने इस सारी क्रिया को बहुत मजेदार और हास्यास्पद पाया। अगर आज के दिन धर्म

---

* सिख धर्म का एक सम्प्रदाय, जो पारंपरिक सिखों और उनके दसों गुरुओं से अलग विचार रखता है।

के कोई मायने हैं, तो इसे देवी-देवताओं के वंदनगान करने के बजाय थोड़ी गम्भीरता से लेना चाहिए।

इन अनुभवों से मुझे अपनी कनाडा या अमरीका की यात्राएं याद आती हैं। मैं जब भी वहां गया, मैंने रविवार की सुबह कई टी.वी. चैनलों पर ईसाई मत के धर्म-प्रचारकों को देखा, जो प्रेम और नैतिकता का पाठ पढ़ाते थे और सर्वशक्तिमान की प्रशंसा में गीत गाते थे। मैंने इन कार्यक्रमों का बहुत लुत्फ़ उठाया। मैंने इन्हें हास्य से भरपूर पाया और किसी भयंकर कॉमेडी को देखने से भी ज़्यादा हंसा। मैंने अत्यंत भावपूर्ण लगते पुरुष देखे और विशुद्ध सफ़ेद लिबास में सजी सुंदर कन्याएं देखीं जो अपनी आंखें घुमाकर ऊपर ईश्वर की ओर देखती थीं (जिसके बारे में विश्वास किया जाता है कि वह बादलों के ऊपर रहता है) और वे ऊंचे स्वर में 'होसन्ना' गा रही थीं। उस ईश्वरीय नाटक के महान हंसौड़ कलाकार थेः आदरणीय जिम्मी ली स्वैगर्ट और जिम बैकर। दुर्भाग्य से, दोनों व्यक्ति जो यौन-नैतिकता और निष्ठा का प्रचार करते थे, वेश्याओं के साथ समागम करते पकड़े गए।

एक आधुनिक तौर तरीकों वाला सनकी इंसान जो 'ध्यान-क्रिया' के काम में लगा है और उन शिक्षित और अर्ध-शिक्षित लोगों में बहुत लोकप्रिय है जो धर्म-निरपेक्ष दिखना चाहते हैं। वह स्व-संतोषी श्रेष्ठता का दावा करता है। "मैं मंदिर-वंदिर नहीं जाता, बस 'ध्यान-क्रिया' करता हूं।" इस व्यायाम क्रिया के दौरान कमल की मुद्रा में (पद्मासन) बैठकर श्वास-क्रिया को नियंत्रित करना होता है, मन को बंदरों की तरह एक शाख से दूसरी शाख तक उछलने से रोकना होता है। यह गहरी एकाग्रता ज़ाहिर तौर पर कुंडलिनी (रीढ़ के आधार पर कुंडली मारे बैठी नागिन) जागृत करती है जो चक्रों के माध्यम से ऊपर की ओर यात्रा करती हुई अपने गंतव्य 'खोपड़ी' तक पहुंच जाती है। तब कुंडलिनी पूर्ण रूप से जागृत हो जाती है और यह मान लिया जाता है कि वह व्यक्ति अपने लक्ष्य (यह लक्ष्य आत्म-ज्ञान है – अनुवादक) तक पहुंच गया है।

'ध्यान' से हासिल क्या होता है? सामान्य उत्तर है – मानसिक

शांति। यदि आप आगे पूछें, '...और मानसिक शांति से क्या हासिल होता है?' तो आपको कोई उत्तर नहीं मिलेगा, क्योंकि इसका कोई उत्तर है ही नहीं। इस व्यायाम को 'अशांत' दिमाग़ वाले लोगों के लिए या उच्च रक्तचाप के रोगियों के लिए उचित माना जा सकता है, लेकिन इसका कोई सबूत नहीं मिलता कि यह रचनात्मकता को बढ़ाता है। इसके विपरीत, सांख्यिकीय आंकड़ों से यह सिद्ध किया जा सकता है कि कला, साहित्य, विज्ञान और संगीत के सभी महान कार्य अत्यधिक उत्तेजित दिमाग़ के थे और ढहने के कगार पर थे। यहां अल्लामा इकबाल की यह छोटी सी प्रार्थना बहुत सटीक लगती है –

खुदा तुझे किसी तूफ़ान से आशनां कर दे
कि तेरे बहर की मौजों में इज्तिराब नहीं!!

ईश्वर तुम्हारे जीवन में तूफ़ान लाए कि तुम्हारे जीवन की लहरों में हलचल नहीं।

अल्लामा की शायरी में एक शब्द 'तलातुम' बार-बार आता है जिसका अर्थ है दिमाग़ी अशांति जो कि रचनात्मकता के लिए ज़रूरी शर्त है।

मैं प्रार्थना, धार्मिक रीति-रिवाज़ों और ध्यान के संबंध में एक बात बहुत संक्षेप में कहना चाहूंगा जिसे मैंने आधुनिक भारत के लिए एक आदर्श वाक्य के रूप में पढ़ा है -

कर्म ही पूजा है
लेकिन पूजा कर्म नहीं है

भारत के लिए मेरा नया धर्म मुख्य रूप से कार्य की नैतिकता के आधार पर होगा। हमारा एक उपयुक्त आदर्श वाक्य है जिसे कार्य रूप में लाया जाना चाहिए – आराम हराम है। फिर भी, आराम का समय अपनी ऊर्जा को फिर से इकट्ठा करने के लिए और फिर से काम

शुरू करने के लिए होना चाहिए, जिससे भौतिक लाभ मिलते हैं। हमें समय नहीं गंवाना चाहिए क्योंकि समय बहुमूल्य है। पैगम्बर मुहम्मद की एक 'हदीस' है जिसमें आह्वान किया गया है (जिसके भाव का अनुवाद है) — समय बर्बाद मत करो, समय भगवान है। हमें संन्यास (सेवा-निवृति) और वानप्रस्थ (जंगल में जाकर रहना) को अस्वीकार कर देना चाहिए और अपने काम को तब तक करते रखना चाहिए, जब तक हम शारीरिक रूप से काम करने में समर्थ हैं।

उत्तराधिकार में अथवा अनर्जित आय पर एक निरुपयोगी जीवन जीना उतना ही बुरा है, जितना भीख मांगना। उत्तराधिकारियों को अपनी सम्पत्ति का अधिकार देने की एक सीमा क़ानून के अंतर्गत बनानी चाहिए और भीख मांगना ग़ैर-क़ानूनी होना चाहिए। गुरु नानक ने अपनी तीन आज्ञाओं में कार्य-नीति पर ज़ोर दिया है —

कीरत करो, नाम जपो, वंड चको

काम करो, पूजा करो, दान करो

प्राथमिकता के क्रम को ध्यान से देखा जाए। एक अन्य भजन में उन्होंने लिखा है —

खट घाल, किच्च हल्कों दे,
नानक रुह पछाणे सी

जो कमाता है और उसमें से कुछ दे देता है
ओ नानक! उसी ने सही राह चुनी है।

जो भौतिक रूप से समाज को कुछ नहीं देता, उसे कोई अधिकार नहीं है कि वह समाज से किसी भी प्रकार का फायदा लेने का दावा पेश करे।

हमारे देश में भी ऐसे कई व्यवसाय हैं जो समाज में कोई हिस्सेदारी नहीं करते, बल्कि उसे बहुत नुक़सान पहुंचाते हैं उनमें सबसे ज़्यादा प्रसिद्ध

हैं ज्योतिषशास्त्र के माध्यम से भविष्यवाणी करना, राशिफल बताना, हस्तरेखा विज्ञान, स्फटिक की गेंद पर ध्यान लगाना और प्राचीन ग्रन्थों जैसे भृगु-संहिता और साऊ-साखी आदि के गूढ़ रहस्यों को जानना। इनमें सबसे ज़्यादा प्रसिद्ध है ज्योतिष-विद्या, जिस पर ऊंचे पदों पर बैठे लोग भी विश्वास करते हैं और आम जनता भी। प्रधानमंत्री, मुख्य-मंत्री, दूसरे कई मंत्री, राज्यपाल, नौकरशाह और व्यापारीगण अक्सर अपने बुरे ग्रहों के प्रभाव से अपनी मुक्ति के लिए तांत्रिक क्रियाओं और काला जादू का सहारा लेते हैं। नए काम तभी हाथ में लिए जाते हैं जब वे सुनिश्चित कर लेतें कि उनके सितारे सही दिशा में बैठे हैं। भारत में ज्योतिष के धार्मिक बंधन भी हैं इसलिए भविष्य में भारत के धर्मों से इस भूत को भगा देना चाहिए। निर्विवाद रूप से यह बिल्कुल अवैज्ञानिक है। खगोल विद्या विज्ञान है, लेकिन ज्योतिष-विद्या नहीं। धर्म के साथ जो संबंध अंधविश्वास का है, वही ज्योतिष विद्या का खगोल विद्या से है — बीमार दिमाग़ों की अवैध संतान।

हमारे इतिहास में अनगिनत उदाहरण हैं जो यह बताते हैं कि कई युद्ध इसीलिए हारे गए, क्योंकि सेनाध्यक्ष ने अपनी बुद्धि का प्रयोग करने के बजाय ज्योतिषियों से आक्रमण करने का सबसे अच्छा समय जानने के लिए सलाह-मशविरा करने में समय बरबाद कर दिया। इस बात के कोई प्रमाण नहीं मिलते कि जो शादियां राशि का मिलान करने के बाद ज्योतिषियों द्वारा तय की गईं; वे बिना उनसे सलाह-मशविरा के की गई शादियों से अच्छी चलीं। मैं एक ऐसे ही प्रमुख ज्योतिषी को जानता हूं जो 'द हिंदुस्तान टाइम्स' में 'व्हाट द स्टार्स टैल' नाम का साप्ताहिक कॉलम लिखते हैं। उन्होंने अपनी बेटी का विवाह उसकी और उसके होने वाले पति की जन्म-कुंडली देखने के बाद ही तय किया था और यह शादी कुछेक महीने ही चल पाई। ज्योतिष में विश्वास खतरनाक अनुपात तक पहुंच चुका है और इसे जब तक क़ानूनी तौर पर प्रतिबंधित नहीं किया जाता, तब तक लोगों के जीवन को नुकसान पहुंचाता रहेगा। धर्म का अंतिम उद्देश्य यह होना चाहिए कि किसी भी जीवित प्राणी, मानव, वनस्पति एवं पशु को दुःख पहुंचाने से बचा जाए।

अहिंसा परमो धर्मः। यानी अहिंसा सबसे बड़ा धर्म है। जहां मनुष्यों की बात आती है तो हमें किसी को दुःख पहुंचाने से बचना सीखना होगा। हफीज़ (चौदहवीं सदी के सूफी कवि) लिखते हैं –

माई खोर, निम्बार का सोज, ओ आविश अंदर काबा जान
सकीन-ए-बुतखाना बाश, ओ मुर्दम अजारी मैकुन

शराब पियो, पवित्र ग्रन्थ फाड़ दो, ईश्वर का घर जला दो। मूर्तियों से भरे मंदिर में जाकर अपना घर बना लो। तुम यह सब कुछ करो, लेकिन किसी इंसान को दुःख न पहुंचाओ।

मौलाना जलालुद्दीन 'रूमी', तेरहवीं शताब्दी के सूफी संत भी यही भावना व्यक्त करते हैं –

दिल-बदस्त आवार के हज्जे-अकबर अस्त
अज् हज़ारां काबा, यक दिल बेहतर अस्त

अपने दिलों में झांको, यह सबसे बड़ी तीर्थ यात्रा है, एक अच्छा दिल हज़ारों काबाओं से बेहतर है।

मैं अभी विश्वास से नहीं कह सकता कि हम अपने खाने के लिए जानवरों को मारने पर रोक लगाने की स्थिति में हैं क्योंकि दुनिया के अधिकांश भागों में, मनुष्य मीट, मछली और अंडे खाकर ही जीवित हैं। किंतु खेल के लिए जानवरों के प्रति क्रूरता दिखाने या उन्हें मारने का कोई स्पष्टीकरण नहीं दिया जा सकता। भारत में जानवरों के शिकार पर पूरी तरह प्रतिबंध लगा है।

हमारे नए धर्म में भविष्य-दृष्टि होनी चाहिए और आने वाली पीढ़ियों का जीवन खतरे में नहीं डालने का लक्ष्य होना चाहिए। हमारी जनसंख्या भविष्य के लिए आत्मघाती रफ़्तार से बढ़ रही है। यदि हम इसी प्रेरणाहीन गति से बढ़ते रहे तो हमें खाने, कपड़े, मकान, शैक्षिक संस्थाओं और अस्पतालों की कमी बनी रहेगी और हमारे शहर, कस्बे

और गांव गंदी बस्तियों में तब्दील हो जाएंगे। परिवार नियोजन को हमारे धर्म का एक अभिन्न अंग बनाया जाना चाहिए।

जिन माता-पिता के दो या दो से अधिक बच्चे हैं उन्हें मताधिकार से वंचित कर देना चाहिए तथा उन्हें किसी भी निर्वाचित पद पर बने रहने की अनुमति नहीं दी जानी चाहिए। हमें दूसरी संतान के जन्म पर ही माता-पिता दोनों की नसबंदी अनिवार्य कर देनी चाहिए। इसे शादी विवाह के समय ली जाने वाली कसमों का एक हिस्सा बना देना चाहिए। हमें पहले से ही भारी जनसंख्या वाले देश पर और बोझ लादने का कोई अधिकार नहीं है।

पर्यावरण की रक्षा भी हमारे धर्म का एक अभिन्न अंग होना चाहिए। हमारे सामने बिशनोई जाति का उदाहरण है जिसमें पेड़ों को काटने और पशु-पक्षियों को मारने पर सख़्त पाबंदी है। हमें इससे भी आगे बढ़ कर पेड़ों की कटाई को रोकना होगा। हमें हिंदू व सिख धर्म में दाह-संस्कार पर चिता जलाने की प्रथा को तुरंत रोक देना चाहिए। हिंदू और सिख धर्मों में मृतकों को लकड़ी के साथ जलाए जाने की कोई ज़रूरत ही नहीं है। दक्षिण भारत में कई हिंदू जातियों में मृतक को दफनाए जाने की प्रथा है। उदाहरण के लिए, सी. एफ. अन्नादुरई और एम. जी. रामाचंद्रन (दोनों ही तमिलनाडु के पूर्व मुख्यमंत्री थे जिनकी मृत्यु क्रमशः 3 फरवरी, 1969 और 24 दिसम्बर, 1987 को हुई) दोनों को दफनाया गया था। जैन मुनियों को भी दफनाया ही जाता है। अंतिम संस्कार में जलाई जाने वाली लकड़ी की मात्रा बहुत अधिक है। एक गणना के मुताबिक भारत में हर साल औसतन एक करोड़ से अधिक लोगों की मृत्यु होती है, जिसमें 80 प्रतिशत हिंदू या सिख होते हैं। मोटे तौर पर देखें तो एक मृतक के अंतिम संस्कार में दो क्विंटल लकड़ी का प्रयोग होता है। इस तरह प्रतिवर्ष लाखों टन लकड़ी की खपत की मात्रा चौंकाने वाली है। हम मृतकों के निपटान के लिए अपने जंगलों को नष्ट कर रहे हैं। गैस या बिजली से दाह-संस्कार इसका उत्तर नहीं है, बल्कि यह है कि हिंदू-सिख के कब्रिस्तानों में कब्र पर कोई शिलालेख न लगाए जाएं और हर पांच वर्ष में भूमि पर खेती

की जाए। हमारी धरती को ज़रूरत है काया-कल्प की। अधिकांश धर्मों के अनुसार, इंसान को मर जाने पर उसी मिट्टी में वापस मिला देना चाहिए, जिससे उन्होंने जन्म लिया है।

भवन निर्माण और फर्नीचर बनाने में लकड़ी के प्रयोग में भी गंभीर कटौती करनी चाहिए। विकल्प के रूप में हमारे पास पर्याप्त मात्रा में सिंथेटिक है जिसे इमारतें बनाने और फर्नीचर के काम में प्रयोग किया जा सकता है। हमारे देश में वनों को दुबारा उगाने और धरती को हरा-भरा बनाने के काम को सर्वोच्च प्राथमिकता दी जानी चाहिए। इन्हें आसानी से हमारे धार्मिक दायित्वों का एक ज़रूरी हिस्सा बनाने के साथ-साथ, हमारी शिक्षा प्रणाली का भी एक अभिन्न अंग बनाना चाहिए। हमारे सभी धार्मिक समारोहों में, चाहे वह जनेऊ धारण हो, दीक्षा संस्कार हो या फिर शादी अथवा मृत्यु हो, एक निश्चित संख्या में पेड़ लगाने का प्रावधान अवश्य होना चाहिए। दिवंगत आत्मा की स्मृति में दिया जाने वाला दान, वनों के रोपण के लिए समर्पित होना चाहिए। स्कूल से उत्तीर्ण होने वाले या डिग्री लेने वाले छात्रों को तब तक परीक्षा उतीर्ण करने का प्रमाण-पत्र नहीं देना चाहिए, जब तक कि वे एक निश्चित मात्रा में पेड़ लगाने और एक निश्चित समय तक उनकी देखभाल करने का सबूत न पेश करें।

जलग्रहण क्षेत्रों, नदियों और नहरों को दूषित करने के काम की ग़ैर-धार्मिक कार्य के रूप में निंदा होनी चाहिए। रसायनों और उर्वरकों में भी गंभीर कटौती करनी चाहिए जो धरती को बांझ बनाने के साथ-साथ पक्षियों व कीट-पतंगों को भी नष्ट कर रहे हैं। पशु-पक्षियों तथा कीट-पतंगों के जीवन की तरह धरती को भी पवित्र मानना चाहिए। सभी प्राचीन धर्मों के पास पर्यावरण के संरक्षण को एक धार्मिक दायित्व घोषित करने के लिए कुछ-न-कुछ अवश्य है। आवश्यकता है तो सिर्फ इन पहलुओं पर प्रकाश डालने की और उन्हें अधिक से अधिक ताक़त के साथ लागू करने की।

मैं अपने इस विश्वास को एक घिसी-पिटी और समय के साथ भुला दी गई एक कहावत के साथ कहना चाहूंगा — एक अच्छा जीवन ही

सबसे बड़ा धर्म है। उन्नीसवीं शताब्दी के एक राजनीतिक नेता और स्वतंत्र विचार के स्वर्ण युग के दौरान एक अच्छे वक्ता रहे रॉबर्ट जी. हंगरसोल, जो अपनी सांस्कृतिक पहुंच के कारण प्रसिद्ध था, ने इसी बात को बड़े ही आनंददायक भाषा में कहा है — "सबसे बड़ी चीज़ है खुशी, खुश होने की जगह यहीं पर है, वर्तमान ही खुश होने का समय है, खुशी प्राप्त करने का रास्ता है दूसरों की सहायता करना।" अमरीका के सबसे महान लेखकों में से एक, इला व्हीलर विलकॉक्स (1850-1919) जिनका उर्वर गद्य और कविता आशावाद का साहित्य है, भी इन्हीं शब्दों का समर्थन करते हैं —

"इतने सारे देवता, इतने सारे धर्म,
इतने सारे रास्ते हैं कि हवा ही हवा चले
सिर्फ दयालु बनने की कला ही है
जिसकी इस दुखी संसार को ज़रूरत है"

❦

बहुत थोड़े शब्दों में ईश्वर, धर्म और नैतिक मूल्यों के बारे में अपने विचार स्पष्ट करना चाहता हूं।

यह स्पष्ट है कि सभी धर्म प्रणालियों ने हमें असफल बनाया है। उन्होंने प्रेम और दोस्ती की अपेक्षा गलतफहमी और घृणा अधिक पैदा की है। हालांकि, कुछ लोगों को आस्थाओं की किसी प्रणाली की ज़रूरत है, हमें एक नया धर्म विकसित करना होगा, जो जीर्ण-शीर्ण धार्मिक पंथ के नुक़सानों से बच कर रहे, जिसका कि हमें अतीत में बहुत कड़वा अनुभव रहा है।

यह प्रक्रिया दोहरे स्तर पर अपनाई जानी चाहिए — सबसे पहले पट्टी या तख़्ती को साफ़ कर दिया जाए, फिर नए सिरे से उस पर संदेश लिखने की शुरुआत करनी चाहिए। ज़रूरत है धार्मिक प्रणालियों के हमारे समाज में स्थापित पांच स्तम्भों को ध्वस्त करने की, जो

इस प्रकार हैं – ईश्वर, भविष्य-वक्ता, धर्मशास्त्र, धार्मिक प्रार्थना और पूजा-स्थल।

मेरे विचार से, यह महत्वपूर्ण नहीं है कि लोग ईश्वर में विश्वास करते हैं या नहीं, या वे उसे कैसे देखते हैं, 'एक' के रूप में, त्रिमूर्ति के रूप में या विविधता में, एक बूढ़े, लम्बी दाढ़ीधारी ईश्वर के रूप में, एक मूर्ति के रूप में, निर्गुण (गुणों से रहित) सगुण (गुणों वाला) के रूप में या फिर एक अमूर्त रूप में। भगवान के किसी रूप से कोई फर्क नहीं पड़ता।

संस्थापक गुरु लोगों के लिए अधिक महत्त्व रखते हैं, लेकिन उन्हें पूजने के बजाय, उन्हें 'ऐतिहासिक' चरित्रों के रूप में ही देखा जाना चाहिए, जो समाज में क्रांतिकारी परिवर्तन लेकर आए। इसी तरह, धर्म-ग्रन्थों को मैं इतिहास लेखन के तौर पर देखता हूं और उन्हें उनकी साहित्यिक विशेषताओं के आधार पर परखता हूं। उन्हें प्रार्थनाओं की विषय-वस्तु नहीं बनाना चाहिए। पूजा स्थलों को विद्यालयों, महाविद्यालयों या अस्पतालों अथवा ऐतिहासिक स्मारक-स्थलों के रूप में परिवर्तित कर उनका संरक्षण करना चाहिए।

हमें अपना अतीत तब तक नहीं मिटाना चाहिए जब तक कि हम किसी सकारात्मक विकल्प के साथ उसे बदल न दें। इस मानसिक 'खालीपन' के विनाशकारी परिणाम हो सकते हैं। मेरे विचारानुसार, भविष्य के धर्म की रूपरेखा में, एक इंसान ही भगवान का स्थान ले सकता है। हमारे साथ के मनुष्य ही हमारी सबसे प्रमुख प्राथमिकता होने चाहिए। आपको उन्हें पूजने की ज़रूरत नहीं है, सिर्फ शारीरिक या मानसिक रूप से उन्हें दुःख पहुंचाने से हमें बचना चाहिए।

मनुष्य के बाद सभी जीवित प्राणियों की देखभाल को मैं अधिक महत्त्व दूंगा। हमें अपनी जीविका के लिए उन सभी प्राणियों को जीवन से वंचित रखने का कोई अधिकार नहीं है। मैं जैन धर्म के अहिंसा परमो धर्मः के सिद्धान्त को पूरा समर्थन देकर शाकाहारिता के पक्ष में दलील दूंगा।

मैं जो चीजें मना हैं, उनकी सूची में दूसरी खाने की वस्तुओं और पेय पदार्थों को शामिल नहीं करूंगा। एक व्यस्क व्यक्ति क्या खाता पीता है, यह उसकी इच्छा पर निर्भर है – फिर चाहे वह अल्कोहल हो, नशीले पदार्थ या तम्बाकू। यह पूरे तौर पर उनका निजी मामला है बेशक उन्हें नुक़सान पहुंचाता है या उनकी जान ले लेता है।

मैं प्रार्थनाएं करने के स्थान पर अच्छे काम को तरज़ीह दूंगा। मंत्र बुदबुदाने या शास्त्र पढ़ने से तो अच्छा है कि लोग हर रोज़ एक घंटा किसी सामाजिक कार्य या समाज सुधार में लगाएं जिससे बेशक उन्हें कोई निजी फायदा न मिलता हो, लेकिन उनके साथियों या पशु-पक्षियों को तो फायदा पहुंचता ही है। यह निष्काम सेवा होनी चाहिएः जैसे बच्चों को पढ़ाना, बीमार या विकलांग लोगों की सेवा करना, नालियां साफ़ करना या कोई भी दूसरी सेवा।

और अंत में, रात को सोने जाने से पहले, प्रत्येक व्यक्ति को कम-से-कम 15 मिनट 'अपने साथ' बिताने चाहिए और दिन भर के अपने किए कार्यों पर विचार करना चाहिए। मैं तो यह सुझाव दूंगा कि 'ध्यान' (मेडिटेशन) की अपेक्षा आप शीशे के सामने खड़े होकर अपनी आकृति को निहारें, सीधे अपनी आंखों में झांकें और यह प्रश्न पूछें कि क्या आज मैंने किसी को दुःख पहुंचाया है? यदि हां, तो मुझे कल अपने व्यवहार को सुधारना चाहिए। क्या आज मैंने किसी के बोझ, दुःख या दर्द को बांट कर हल्का किया? यदि नहीं, तो कल मुझे अपनी कोशिशों को दुगुना करना होगा। अपनी अंतर्रात्मा का सामना करना किसी के लिए इतना आसान नहीं है, लेकिन यह अंतिम परीक्षा है जो किसी को भी उत्तीर्ण करनी चाहिए। मैं कहूं तो, इस परीक्षा का वर्णन विलियम शेक्सपीयर ने 'हैमलेट' में बड़े सुंदर ढंग से किया है –

दिस अबॅव ऑलः टु दाइन ओन सेल्फ बी ट्रू एंड इट
मस्ट फॉलो एज दॅ नाईट दॅ डे
दो केन्स्ट नॉट दैन बी फाल्स टु एनी मैन

(सबसे ऊपर, स्वयं आपका सच हो सकता है। इसका ऐसे ही पालन करना चाहिए जैसे रात और दिन। यदि ऐसा नहीं करते, तो आप किसी से भी झूठ बोल सकते हैं)।

मेरा यह सुझाव है कि धार्मिक त्योहारों पर सभी अनुष्ठान पूरे करने के बाद, जैसे मंदिर, मस्जिद, चर्च या गुरुद्वारे जाना — लोगों को थोड़ा सा समय, आधे घंटे से अधिक नहीं, शांति में अकेले बिताना चाहिए और स्वयं से पूछना चाहिए कि मेरे धर्म का मेरे लिए सच्चा अर्थ क्या है? हिंदू लोग रामनवमी या दीवाली पर, मुसलमान ईद-उल-फितर के मौके पर, ईसाई क्रिसमस पर और सिख, सिख धर्म के संस्थापक, गुरु नानक के जन्मदिन की वर्षगांठ पर ऐसा कर सकते हैं।

गुरु नानक के जन्म दिन की वर्षगांठ (21 नवंबर, 2010) पर मैंने इस प्रश्न का उत्तर खोजने की कोशिश की — मैं कितना 'सिख' हूं? फिर मैंने जवाबों की एक सूची बनाई। हालांकि मैं कोई धार्मिक रस्में नहीं करता, लेकिन सिख सम्प्रदाय से जुड़े होने की भावना तो मुझमें है। इसमें जो कुछ भी घटता है, उसका असर मुझ पर भी होता है और मैं उसके संबंध में या तो कुछ बोल देता हूं या कुछ लिख देता हूं।

मेरे विचार में, इस बात पर विचार करना सिर्फ समय की बरबादी है कि हम कहां से आए हैं और मरने के बाद कहां जाएंगे। किसी को भी इसका ठीक-ठीक ज्ञान नहीं है। हमें सिर्फ इस बात पर विचार करना चाहिए कि इस पृथ्वी पर अपने जीवन में हम क्या करते हैं। मैंने केवल वही दोहराया है जो मैं समझता हूं कि धर्म की आधारभूत चीज़ है, जिसे मैं अब देखता हूं। मैं सच्चाई को धर्म का सार मानता हूं, जो जीवन में सबसे महत्वपूर्ण है। जैसा कि गुरु नानक ने कहा है —

सुच्चों ओरे सब को
ऊपर सच आचार

सच सबसे बड़ा है और सच से बड़ा है सच्चा व्यवहार।

मैं पूरा प्रयास करता हूं कि झूठ न बोलूं, क्योंकि इससे पहले बोले गए झूठों को ढांपने के लिए कपट का सहारा लेना पड़ता है। सच को ज़्यादा सोचने समझने या याद रखने की आवश्यकता नहीं होती।

जैसा कि पहले भी कहा गया है, अपना धन खुद कमाओ और उसमें से थोड़ा सा हिस्सा दूसरों में बांट दो अर्थात दान कर दो, गुरु नानक ने भी यही कहा है।

मैं कोशिश करता हूं कि किसी की भावनाओं को ठेस न पहुंचाऊं। यदि मैंने ऐसा किया हो तो इससे पहले कि यह वर्ष समाप्त हो, मैं इसके लिए माफी मांग कर अपनी अंतर्रात्मा को साफ़ कर लेता हूं।

मैंने इस आदर्श वाक्य को भी आत्मसात किया हुआ है 'चढ़दी कला' यानी हमेशा प्रसन्न रहो और कभी भी हार न मानो। इस पर विचार करें और इसे अपने व्यवहार में ढालने की कोशिश करें।

2

धर्म, सहनशीलता, प्रतिशोध
और चमत्कार

*...तर्क कभी भी किसी प्रतिष्ठित धर्म का मज़बूत पक्ष
नहीं रहा। न ही धार्मिक कट्टरपंथियों के मन में उनसे
अलग विचार रखने वालों के लिए कोई जगह है।*

सभी धर्मों के कुछ ऐसे शब्द होते हैं, माना जाता है कि उनमें शक्तिशाली
सुरक्षात्मक और उपचारात्मक क्षमता होती है। उन शब्दों के पीछे छिपे
रहस्यों को सुलझाना मुश्किल होता है। 'हिंदू धर्म में ओम् या ओइम्
जैसे रहस्यवादी शब्द हैं' इसका उच्चारण काफी लंबा होता है और
ऐसा माना जाता है कि इसके उच्चारण में सभी स्वर शामिल होते हैं।
इस अकेले शब्द को भी उच्चारित किया जा सकता है या ईश्वर के
कई नामों में से एक, 'हरि' के साथ भी जैसे हरि ओम्। यह हमारी
नसों में बड़ा सुखदायक प्रभाव पैदा करता है और इससे मन को बड़ी
शांति मिलती है। सिख धर्म में इसकी तुलना में 'एक ओंकार' (ईश्वर

एक है) शब्द प्रयोग होता है जो 'ओम्' शब्द से ही उत्पन्न हुआ है, किंतु इसे सिखों में उतनी प्रसिद्धि नहीं मिल पाई, जितनी हिंदुओं में 'ओम्' शब्द को।

ओम् शब्द के बराबर मुस्लिम धर्म में ऐसा कोई एक शब्द नहीं है, लेकिन उनके यहां कुछ संदर्भ मौजूद हैं, जैसे अल्लाह-ओ-अकबर, जिन्हें मणकों की माला का जाप करते हुए बार-बार दोहराया जाता है। वे कुरान के कुछ चुनिंदा वाक्य भी गुनगुनाते हैं, जिन्हें दूसरों से कहीं अधिक प्रभावशाली माना जाता है। इसमें सबसे अधिक गाई जाने वाली, निश्चित रूप से पवित्र पुस्तक, अल-फातिहा की शुरुआती पंक्तियां हैं —

सारी प्रशंसाएं अल्लाह ही के लिए हैं
जो सारे जगत का प्रभु है
बड़ा कृपाशील, बड़ा दयावान् है
न्याय के दिन का मालिक है
हम तेरी ही बंदगी करते हैं और तुझ ही से
मदद मांगते हैं
हमें सीधे मार्ग पर चला, हे प्रभु!
इन लोगों के मार्ग पर जो तेरे कृपापात्र हुए
जो न प्रकोप के भागी हुए और न पथभ्रष्ट

(अहमद अली)

अल-फातिहा के बाद, दूसरी सबसे मशहूर कविता आयत-उल-कुर्सी है —

अल्लाह — यहां ईश्वर कोई नहीं, सिवा उसके
वह खुद ज़िंदा है और दूसरों को ज़िंदा
रखने वाला, उसे न ऊंघ आए, न नींद
उसी का है जो कुछ आसमानों में है और जो कुछ

ज़मीन में वह कौन है

जो उसके हुक्म के बग़ैर

उसके यहां सिफारिश करे

वह जानता है सब कुछ, जो मनुष्य के सामने प्रस्तुत

है, जो कुछ उनके भविष्य में है

और जो कुछ उनके अतीत में

और वे नहीं पा सकते उसके ज्ञान में से

उसकी इच्छा के बग़ैर

उसकी कुर्सी में समाए हुए हैं आसमां और ज़मीन

और उसे भारी नहीं उनकी निगाहबानी

और वह ही है बुलंद और सबसे ऊंचा

यहां आस्था के मामलों में कोई बंदिश नहीं

महत्वपूर्ण है गलतियों से सबक लेने का ढंग

वह जो बुराई से दूर हो जाता है

और भगवान में विश्वास रखता है

निश्चित रूप से उसी का सहारा लेता है

जो मज़बूत है और अटूट भी

क्योंकि अल्लाह सब सुनता है, सब जानता है

(अहमद अली)

आयत-उल-कुर्सी एक तमगे पर गुदा होता है जिसे मुस्लिम औरतें गले में हार के समान पहनती हैं। यह सबसे प्रसिद्ध कविता भी है जिसे मुसलमान लोग कब्र पर लगे कुतबे पर लिखवाते हैं। 'प्रसिद्धि' में तीसरे स्थान पर रखी जाने वाली पंक्तियां सूरा यासीन से ली गई हैं। मुस्लिम लोगों की यह पसंदीदा सूरा* है। ताजमहल के प्रवेश-द्वार पर, इसे पूरा का पूरा उद्धृत किया गया है।

---

* कुरान में शामिल कविताएं जिनकी शक्ल एक पुस्तक के अध्यायों जैसी ही है। कुरान के इन हिस्सों को ईश्वर ने 'सूरा' (सूरह) कहा है — अनुवादक)

हिंदुओं में सबसे शक्तिशाली मंत्र, यजुर्वेद में लिखा गया 'गायत्री-मंत्र' है। मेरे अनुसार यह मंत्र सूर्य देवता का आवाह्न करता है और मैं इसके गूढ़ अर्थों को स्पष्ट नहीं कर सकता। कई साल पहले, मैं अपने हिंदी के शिक्षक के पास किसी स्पष्टीकरण के लिए गया था। मैंने उर्दू सीखने से पहले सिर्फ दो साल के लिए ही हिंदी सीखी थी। डॉ. दशरथ ओझा, जो हिंदी और संस्कृत के एक प्रोफेसर के पद से दिल्ली यूनिवर्सिटी से रिटायर हुए, से मुझे अपने विचारों को स्पष्ट करने में बहुत मदद मिली। उनके स्पष्टीकरण मैं यहां आपके साथ सांझा करना चाहता हूं। लेकिन उससे पहले यह गायत्री मंत्र –

ओम्
भूर्भुवः स्वः।
तत्सवितुर्वरेण्यं
भर्गो देवस्य धीमहि।
धियो यो नः प्रचोदयात्।

मंत्र का अर्थ है – हम ईश्वर में ध्यान लगाएं, उसकी महिमा के गुण गाएं, जो एक रचयिता के रूप में, इस ब्रह्माण्ड में सभी बातों का आधार है, जो सर्वव्यापी, सर्वशक्तिमान, सर्वज्ञ, स्व-अस्तित्व चेतना के रूप में पूजा के योग्य है, जो मन से सारी अज्ञानता और सारे दोष दूर करता है और हमारी बुद्धि को शुद्ध और तीक्ष्ण करता है। ईश्वर हमारी बुद्धि को ज्योतिर्मय करे।

डॉ. ओझा ने सलाह दी कि मंत्र का पूरा अर्थ समझने की कोशिश में, गाने वाले को हर पंक्ति के अंत में थोड़ा रुकना अवश्य चाहिए, ताकि उसके अर्थ स्पष्ट हो जाएं। 'ओम्' शब्द के उच्चारण के बाद है 'भूर्भुवः स्वः', 'भः' का अर्थ है धरती पर, 'भुवः' आकाश में और 'स्वः' सूर्य के ऊपर स्वर्ग। 'तत्' ईश्वर के लिए प्रयोग होता है, 'सवितुः' यानी ईश्वर रचयिता है और वह शक्ति है जो संसार को संभाले रखती है। 'वरेण्यं' सूचक है कि ईश्वर सबसे श्रेष्ठ है, 'भर्गो' कि वह यानी

परमपिता परमात्मा ऐसा प्रकाश है जो अंधेरे को दूर करता है और अशुद्ध पदार्थों को शुद्ध करता है, 'देवस्य' कि वह सब रोशनियों को प्रकाश से भर देने वाली रोशनी है और खुशी देने वाली रोशनी है; 'धीमहि' वह उपदेश है जो ईश्वर पर चिंतन करने के लिए है; 'धियो यो' बुद्धि के लिए प्रयोग होता है, 'न:' यानी हमारा और 'प्रचोदयात्' वह प्रार्थना है जिसे भगवान अच्छे कर्मों, विचारों और व्यवहार की ओर दिशा देता है।

डॉ. ओझा के अनुसार, गायत्री मंत्र के उच्चारण का उद्देश्य है —

जैसा कि यह मंत्र अनंत और अनादि ईश्वर के एक एकीकृत रूप को शुरू करता है, इसके लक्ष्य में निजी देवी देवताओं की पूजा में दिखाई देने वाली सीमाएं अक्सर नहीं होतीं। जब हम गायत्री मंत्र को दोहराते हैं तो हमारे मन के विकारों को पूरी तरह से साफ़ करने में सहायता मिलती है। इस तरह यह मंत्र हमें एक प्रकाशवान बुद्धि प्राप्त करने में मदद करता है। इससे हम ध्यान-चिंतन में ईश्वर के बारे में अधिक-से-अधिक ज्ञान प्राप्त करने में समर्थ होते हैं और बुद्धि के माध्यम से प्रकृति के रहस्य जान पाते हैं; जब यह हमें हमारे लक्ष्यों की ओर जाने का मार्ग दिखाता है। यह हमारे अस्तित्व के आधार के बारे में भी हमें लगातार जागरूक करता है। यह मंत्र हमारे मन की कल्पना को एक असीम स्थिति का निर्देश देता है यह हमारी बुनियादी इच्छाओं और हमारी बुनियादी प्रवृति की जड़ पर चोट करता है, यह जरूरी नहीं कि ये हमारे वर्तमान जीवन की हों, बल्कि हमारे पिछले कई जन्मों की भी हो सकती हैं। सभी धर्म प्रणालियों में कुछ-न-कुछ ऐसा अवश्य निहित होता है जो हमें दूसरे धर्मों के प्रति असहनशील बनाता है।

❈❈❈❈❈

यह बात विशेष रूप से ध्यान देने योग्य है कि हर किसी धर्म के

समर्थकों का एक वर्ग अपने मूल धर्म से अलग होकर अपने उप गुरु की पहचान बनाने का प्रयास करता है और अपना एक अलग धर्म-ग्रंथ, अलग पूजा-स्थल और अलग सामाजिक संगठन बना लेता है। कोई भी धर्मप्रणाली असहनशीलता के कैंसर से बची हुई नहीं है।

हिंदू धर्म, जो सभी धर्मों से ज़्यादा सहनशील होने का दावा करता है, (जाति व्यवस्था के होते हुए भी) जैन धर्म और बौद्ध धर्म को अपने से अलग होने से बचा नहीं सका और अलग-अलग समुदायों के रूप में इन दोनों धर्मों का लगभग सफाया कर दिया।

यहूदी धर्म यीशु मसीह के उभर आने को स्वीकार नहीं कर सका और उसे धर्म-विरोधी घोषित कर दिया था। यहूदियों ने ईसाइयों के मसीहा के साथ जो कुछ किया, ईसाई लोग इसके लिए यहूदियों को माफ नहीं कर सके और वे आज तक भी यहूदियों को परेशान कर रहे हैं। उसके बाद ईसाई धर्म के चर्च कई टुकड़ों में बंट गए — कैथोलिक, ग्रीक ऑर्थडाक्स (ग्रीक रूढ़िवादी), प्रोटेस्टेंट (रोम मत के विरोधी) और दूसरे दर्जनों भर चर्च। कैथोलिक और प्रोटेस्टेंट लोगों ने एक दूसरे के विरुद्ध युद्ध छेड़ दिया और एक दूसरे की आबादी के लोगों के कत्लेआम को बढ़ावा दिया। जब इस्लाम धर्म बुतपरस्ती, यहूदी धर्म और ईसाई धर्म के विरुद्ध उभर कर आया तो मुसलमान लोगों को ऐसे ही भाग्य का सामना करना पड़ा। पलट कर उन्होंने भी यहूदियों के साथ ऐसा ही किया।

छोटे धार्मिक समुदाय जैसे सिख धर्म के लोग भी इस बीमारी से अपने आपको बचा नहीं पाए। हालांकि वे गिनती की दृष्टि से कहीं ज़्यादा ताक़तवर हिंदुओं और मुसलमानों के साथ कोई-न-कोई सामंजस्य अवश्य बिठा सकते थे, लेकिन वे अपने मुख्य धर्म से अलग हुए उपधर्मों को बरदाश्त नहीं कर सके।

सिख धर्म से अलग हुए दो समूहों; नामधारी और निरंकारी जिन्होंने अपने अलग गुरु बना लिए थे, का सिखों ने बहिष्कार कर दिया। इन दोनों में से किसी को भी गुरुद्वारे में प्रवेश करने की आज्ञा नहीं है और कोई भी अमृतधारी (अमृत छकने की रस्म के बाद 'खालसा'

घोषित किए गए सिख) इनसे वैवाहिक संबंध नहीं बना सकता। जरनैल सिंह भिंडरावाला (पूरे विस्तार के लिए देखें अध्याय-4) ने निरंकारियों के सफाए को विश्वास का मुद्दा घोषित कर दिया। उनके पवित्र ग्रंथों, अवतार वाणी और युगपुरुष को उन्होंने सिख गुरुओं का अपमान मान कर उनकी निंदा की (मैंने उन ग्रंथों में ऐसी कोई अपमानजनक बात नहीं देखी) और निरंकारी नेता, बाबा गुरबचन सिंह को 1980 में दिल्ली में कत्ल कर दिया गया।

बाहर से देखें तो इस्लाम धर्म एक एकीकृत अखंड धार्मिक समूह दिखाई देता है, लेकिन ऐसा कुछ भी नहीं है। पैगंबर मुहम्मद की मृत्यु के तुरंत बाद यह दो धड़ों में बंट गया। बड़े धड़े (सुन्नी) ने पहले तीन खलीफाओं – अबू बाकर, उमर-इस्न-अल-खर्राब और उस्मान-ईस्न-अफ्फान का उत्तराधिकर स्वीकार कर लिया। छोटे धड़े (शिया) ने इन तीनों के उत्तराधिकार को नहीं माना और सिर्फ हजरत-अली, जो पैगंबर मुहम्मद के दामाद थे, को ही सच्चे उत्तराधिकारी के रूप में मान्यता दी। तभी से, इस्लाम धर्म शिया और सुन्नी, दो भागों में बंटा हुआ है। उनकी दुश्मनी आज भी कायम है। हालांकि, सुन्नियों से टूट कर अलग हुए समूह ज़्यादा नहीं हैं और धार्मिक शिक्षा के केवल अलग-अलग विद्यालय हैं, शिया धर्म के तो वास्तव में कई उप-समूह हैं जिनकी अपनी अलग मस्जिदें हैं, रीति रिवाज हैं और अलग कब्रिस्तान हैं।

अलग हुए समूहों के प्रति मुस्लिम असहनीयता बहुत उग्र है। विशेष रूप से बहाइयों और अहमदियों (कादियानी) के प्रति। ईरान में बहाई मत को विधर्मी माना जाता है और 1979 की क्रांति (अयातुल्ला खोमैनी के नेतृत्व में) के बाद, जिसमें मोहम्मद रजा शाह पहलवी, जो ईरान के शाह के नाम से मशहूर है, का तख़्ता पलट दिया गया था। नई सरकार ने 'शाह' की 'सहनशीलता' की नीति को पलट दिया। एक अधिकारिक परिपत्र (सर्कुलर) के मुताबिक –

> अपने देश के सरकारी और मान्यता प्राप्त धर्म के अनुयायी न होने के कारण, आपको शिक्षा मंत्रालय से बर्ख़ास्त किया जाता है;

हम निम्नलिखित घोषणा करते हैं – शिक्षा मंत्रालय, जो इस्लामी गणतंत्र ईरान के न्याय और हज़ारों मुसलमान पुरुषों और महिलाओं के खून और शहादत के माध्यम से ही अस्तित्व में आया है, हम इसकी शैक्षिक इकाई में, निर्दोष छात्रों के मन और विचारों को अशुद्ध करने के कारण, बहाई सम्प्रदाय के अनुयायियों का अस्तित्व, पिछले शासन की तरह बर्दाश्त नहीं कर सकते... शिक्षा की पवित्र सीमा को आप जैसे लोगों पर नहीं छोड़ा जा सकता, जो इस्लाम के सर्वोत्तम हितों के खिलाफ़ हैं... निष्कर्ष में, मैं तुम्हें याद दिलाना चाहता हूं कि ईरानियों, जो मुसलमान के रूप में मान्यता प्राप्त धर्मों के अनुयायी नहीं हैं जैसे यहूदी, ईसाई और वेहदीन (जोरोआस्ट्रियन), को सरकारी नौकरी में रखना क़ानून के खिलाफ है। इसलिए आपकी बर्ख़ास्तगी, वर्तमान क़ानूनों के दायरे में, आपके लिए सबसे छोटी सज़ा है। इसमें कोई संदेह नहीं कि अधिकतम सजा उनको होगी जिन्होंने आपको नौकरी पर रखा और जल्द ही जिन पर इस्लामिक क्रान्तिकारी-न्यायालय (इस्लामिक रिवोल्यूशनरी कोर्ट) में मुकदमा चलाया जाएगा...

अयातुल्ला खोमैनी के शासन के दौरान, सैकड़ों बहाई नागरिकों को बिना किसी अपराध के मार डाला गया। उनका अपराध सिर्फ़ यह था कि वे बहाई थे।

पाकिस्तानी भी अहमदियों को परेशान करने में पीछे नहीं हैं। यह समूह 1889 में कादियान के मिर्जा गुलाम अहमद (अब भारत के पंजाब में) के नेतृत्व में इस्लाम धर्म से अलग हो गया था। मिर्जा गुलाम अहमद ने किसी भी मुस्लिम धर्म अनुयायियों की तुलना में, अफ्रीका और यूरोप में इस्लाम धर्म का संदेश पहुंचाने में सबसे अधिक काम किया है। इस सम्प्रदाय में कई बहुत प्रतिष्ठित व्यक्ति भी पैदा हुए हैं जैसे सर्वोच्च न्यायालय के न्यायाधीश चौधरी ज़फ़रुल्लाह खान, जो बाद में पाकिस्तान के विदेश मंत्री भी बने तथा प्रोफ़ेसर अब्दुल सलाम जो पाकिस्तान के अकेले नोबल पुरस्कार विजेता हैं

(भौतिक विज्ञान, 1979) फिर भी ये अहमदी लोग मुस्लिम कट्टरवाद का निशाना रहे हैं। जेहलम के साथ बसी उनकी बस्ती रबवाह ने, देश की सर्वोच्च न्यायपालिका द्वारा अहमदियों को ग़ैर-मुसलमान घोषित करने से पहले, बहुत अधिक हिंसा को झेला है। उन्हें उनकी मस्जिदों की मीनारों से नमाज़ अता करने की भी आज़ादी नहीं है और न ही वे अपने आपको मुसलमान कह सकते हैं। उन्होंने अपने आपको अल्प-संख्यक घोषित कर रखा है।

इसमें विवाद की बात यह है कि उलेमा (मुस्लिम विद्वानों का एक समूह) का कहना है कि इस्लाम केवल मोहम्मद को ही अंतिम पैगम्बर (खतमुन नबी) के रूप में मान्यता देता है और जो कोई भी व्यक्ति जो इनके अलावा किसी और को उत्तराधिकारी मानता है, वह विधर्मी है। अहमदी सम्प्रदाय के लोग इस बात से सख्ती से इनकार करते हैं कि उन्होंने मुहम्मद साहब के अकेले पैगम्बर होने पर कभी कोई सवाल खड़ा किया है। वे तो मिर्ज़ा साहब और उनके उत्तराधिकारियों को सिर्फ मार्गदर्शक की तरह ही देखते हैं। यह पाकिस्तानी उलेमा के लिए पर्याप्त नहीं है।

तथ्य यह है कि इस्लामी अनुयायियों द्वारा आगा खान को 'जीवित' भगवान का दर्ज़ा दिया गया है। वहां असंख्य मुस्लिम हैं, जिन्हें दूसरे समूहों की पूजा के आधार पर मुस्लिम धर्म के बहुत पास माना गया है। तर्क कभी भी किसी प्रतिष्ठित धर्म का मजबूत पक्ष नहीं रहा। न ही धार्मिक कट्टरपंथियों के मन में उनसे अलग विचार रखने वालों के लिए कोई जगह है।

❖❖❖❖❖

जून 1984 के आरंभिक दिनों में, प्रधानमंत्री इंदिरा गांधी ने भारतीय फौज को सिखों के सबसे पवित्र स्थान, अमृतसर के स्वर्ण मंदिर में प्रवेश करने का आदेश दिया। (अध्याय एक भी देखें) उनके दो सिख अंगरक्षकों (बेअंत सिंह और सतवंत सिंह) ने इस अपमान का बदला

50 ◆ खुशवंत सिंह

लेने के लिए 31 अक्तूबर 1984 के दिन उन्हें गोलियों से भून डाला। (बेअंत सिंह दूसरे सुरक्षा गार्डों द्वारा मारा गया और सतवंत सिंह को गिरफ्तार कर लिया गया)। चूंकि दो सिखों ने इंदिरा गांधी को मारा था, इसलिए हिंदुओं के एक वर्ग ने इसका बदला हज़ारों सिखों का क़त्लेआम करके लिया। श्रीमती इंदिरा गांधी के हत्यारों में से एक सतवंत सिंह और उसके साथी केहर सिंह को फांसी दी गई। इसके परिणामस्वरूप, 'खालिस्तानी' आतंकवादियों ने मासूम हिंदुओं को फांसी देकर इसका बदला लिया। (कुछ सिख एक अलग देश की मांग कर रहे थे, जिसे 'खालिस्तान' का नाम दिया गया)।

मुद्दा यह है कि बदले की भावना मनुष्य के मन में गहरी बैठी हुई है। यह कोई पशुवृत्ति नहीं है, क्योंकि पशु किसी को भी बदले की भावना से नहीं मारते। वे ऐसा या तो आत्म-रक्षा के लिए करते हैं या फिर भोजन प्राप्त करने के लिए।

सभी धर्म प्रणालियों ने अपने-अपने ढंग से इंसान के भीतर से बदले की भावना को मिटाने की कोशिश की है। इनमें से कुछ ने दंड-संहिता बना कर इस दिशा में उल्लेखनीय सफलता प्राप्त की है, जिससे वे अपने विवादों को अपने आप नहीं सुलझा सकते और किसी भी अपराध के लिए सज़ा देना राज्य का विषय बना दिया।

ये महत्वपूर्ण क़दम पुराने क़ानूनों को नए क़ानूनों में बदलने की प्रक्रिया में लिए गए। यहूदी धर्म ने 'आंख के लिए आंख और दांत के लिए दांत' के सिद्धान्त को पूरी तरह से प्रतिबंधित कर दिया। 'सरमन ऑन द माऊन्ट'* में, जो 'न्यू टेस्टामेंन्टस्' का सबसे महत्वपूर्ण भाग है, यीसु मसीह को इस प्रकार उद्धृत किया गया है –

'तुमने सुना है कि यह कहा गया है, आंख के बदले आंख और दांत के बदले दांत। लेकिन मैं तुमसे कहता हूं कि तुम बुरे मनुष्य का

* सरमन ऑन दॅ माऊन्ट' यीशु मसीह द्वारा दिया गया सबसे लंबा उपदेश है।

विरोध न करो। यदि कोई मनुष्य तुम्हारे दायें गाल पर थप्पड़ मारता है तो तुम उसके सामने अपना बायां गाल भी कर दो। यदि कोई तुम पर मुकदमा कर देता है तो अपना कोट उतार कर उसे दे दो। उसे अपनी घड़ी भी ले लेने दो।' (मैथ्यू –5:39-40)

हमें यहूदियों के लिए निष्पक्ष होना चाहिए। हालांकि ये प्रतिशोध की भावना को बराबर स्वीकृति देते हैं, लेकिन यह किसी व्यक्ति द्वारा क़ानून को अपने हाथ में लेने को उचित नहीं ठहराता। यह उस व्यक्ति के लिए ठीक नहीं जिसकी आंख में छेद कर दिया गया है या जिसका दांत बाहर निकाल दिया गया है। बल्कि उसे चाहिए कि वह अपनी शिकायत दर्ज़ करवाए और न्यायालय का निर्णय प्रस्तुत करे कि जिस व्यक्ति ने उसे नुक़सान पहुंचाया, उसे वैसी ही सज़ा दी गई या नहीं या फिर उस पर आर्थिक दंड लगाया गया या नहीं।

इस्लाम ने, यहूदी धर्म और ईसाई धर्म से सबक लिया और अपराध व सज़ा के बीच एक संतुलन बनाया। उसने आंख के बदले आंख के सिद्धान्त को तो स्वीकार किया, लेकिन वैसी ही सज़ा के स्थान पर मुआवज़े की अनुमति देकर उसे वैध बनाया और इस संबंध में माफी को बहुत पुण्य का दर्जा मिला।

बदले की भावना को हिंदू, यहूदी, बौद्ध या सिख में से किसी भी धर्म प्रणाली ने स्वीकार नहीं किया। जैन धर्म ने अहिंसा को परम धर्म माना। यहां तक कि अपने भोजन के लिए जानवरों को मारने की भी आज्ञा नहीं दी। इसी तरह, महात्मा बुद्ध ने भी हिंसा के स्थान पर अहिंसा का उपदेश दिया। सिख धर्म में भी पहले नौ गुरुओं तक, जैसा कि गुरु ग्रन्थ साहिब में लिखा है, प्रतिशोध से अधिक दूसरे गाल को आगे करने के उपदेश को नैतिक तौर पर श्रेष्ठ माना। मुस्लिम संत बाबा फरीद (फरीदुदीन गंज-ए-शाकर – 1173-1266) की पंक्तियां सबसे अधिक उदाहरण स्वरूप पेश की जाती हैं –

जो तैं मारां मुक्कियां
तिनां न मारें घुस

आपणें घर जाइके
पैर तिनां दे चुम

जो तुझे मुक्के मारते हैं, पलट कर न मारो तुम
बल्कि उनके घर जाकर उनके पैर लो चूम।

सिखों के आख़िरी गुरु (दसवें), गुरु गोबिन्द सिंह ने सिखों को
उग्र स्वभाव की बिरादरी में ढाला और धर्मयुद्ध का उपदेश दिया।
यानी अनुचित आक्रमण के स्थान पर सच के लिए लड़ी गई लड़ाई।
लेकिन उन्होंने किसी इंसान को क़ानून अपने हाथ में लेने की स्वीकृति
नहीं दी। उन्होंने बल प्रयोग की अनुमति उसी हालत में दी, जब कि
दूसरे उपाय आजमाए जा चुके हों व उसमें सफलता न मिली हों।
इसी स्थिति में उन्होंने कृपाण (तलवार) निकालने की बात कही। एक
यादगार वाक्य में उन्होंने लिखा —

"मैं इस दुनिया में इस उद्देश्य से आया हूं कि हर जगह पर सब
कुछ ठीक-ठाक रहे। पाप और बुराई को समाप्त करने के लिए, मैंने
इसलिए जन्म लिया, ताकि नेकी अच्छी तरह फले-फूले, ताकि अच्छाई
जीवित रहे और अत्याचारी को जड़ से नष्ट कर दें।"

बदले की भावना के दूसरे पहलू भी हैं जिन पर विचार करने की
ज़रूरत है। हो सकता है कि आपके पास ग़लत कामों का बदला लेने
का कोई तर्क हो। अर्थात —

जैसे को तैसा
याद रखो
तुमने मेरा कुत्ता मारा
मैं तुम्हारी बिल्ली मारुंगा

हो सकता है कि आपको तब तक शांति न मिले, जब तक आप
उस व्यक्ति को चलने-फिरने से महरूम न कर दें या उसकी हत्या न
कर दें, जिसने आपके बच्चे के साथ कुकर्म किया है। ऐसे हिसाब

बराबर करने के अपने तर्क हैं, लेकिन जब बदले की भावना दोषी की जाति या समुदाय के लोगों तक पहुंच जाए तो इसके परिणाम बहुत भयानक हो सकते हैं। दुर्भाग्य से यह हमारे जीवन का नियमित ढर्रा बन चुका है। जब कोई व्यक्ति किसी पूजा-स्थल को अपवित्र करता है तो हम न सिर्फ उस व्यक्ति के पूजा-स्थलों को अपवित्र करते हैं, बल्कि उसकी पूरी जाति या उसके पूरे वंश से ही बदला लेने पर उतारू हो जाते हैं। साम्प्रदायिक दंगों की घिनौनी घटनाएं इसी बदले की भावना की गवाही देती हैं। अक्सर हम बदले की भड़ास, पूरे समाज के विरुद्ध बंद और घेराव करके, रेल की पटरियां उखाड़ कर, बसों को फूंक कर और सार्वजनिक सम्पत्ति को नुक़सान पहुंचा कर निकालते हैं।

यह उम्मीद करना अनुभवहीनता होगी कि धार्मिक उपदेश बदला लेने की इच्छा पर अंकुश लगाएंगे। माफी देना बहुत दुर्लभ बात है। सूली पर लटके यीशु मसीह जैसे कम ही लोग हैं दुनिया में, जो अपने को पीड़ा पहुंचाने वाले के लिए कहते हैं – 'हे ईश्वर! उन्हें माफ कर देना। वे यह नहीं जानते कि वे क्या कर रहे हैं।' फिर भी, ग़लत काम करने वाले को माफ कर देना बहुत मुश्किल हो सकता है, लेकिन बदले की भावना को खत्म करने का यही एक तरीक़ा है।

ब्रिटेन के हास्य लेखक इज़्राइल जैंगविल द्वारा लिखी एक शानदार कहानी है कि कैसे एक साधारण सी जगह एक पवित्र स्थान में बदल सकती है और अंधविश्वास करने वाले लोग कैसे इसका फायदा उठा सकते हैं। यह पूर्वी पोलैंड के एक यहूदी लकड़हारे की कहानी है जो अपनी युवा पत्नी के साथ वहां रहता था। उनके घर के पास ही एक अधेड़ उम्र की विधवा औरत अपने लकवाग्रस्त बेटे के साथ रहती थी। उसके पास जो कुछ भी था, उसने अपने बेटे के इलाज में लगा दिया। फिर भी कोई फायदा नहीं हुआ।

क्रिसमस आते ही गांव और उसके आसपास का इलाका बर्फ की परत से ढक गया। लकड़हारे के पास जलाने योग्य लकड़ी बेच कर कुछ पैसे बचे थे और लम्बी दूरी तय करने के बाद वह खाने की तलाश में था। क्रिर स के दिन, बहुत सुबह ही लकड़हारे की पत्नी अपने घर को सजाने के लिए पवित्र, अमर बेल लेने जंगल में गई।

जब उसने सब कुछ इकट्ठा कर लिया, तो उसने एक तालाब देखा जो बर्फ से जम चुका था। उसके मन में विचार आया कि वह काफी दिनों से नहाई नहीं है और शायद उसका पति अपने ही किसी ढंग से क्रिसमस मनाना चाहे।... उसने अपने कपड़े उतारे, बर्फ को तोड़ा और बर्फीले पानी में कूद गई। तभी उसे कुछ आदमियों की आवाज़ें नज़दीक आती सुनाई दीं। वह तालाब से बाहर आई, अपने कपड़े उठाए और अपने घर की ओर जंगल में भाग गई।

वे आवाज़ें दो किसानों की थीं जो वहां किसी जंगली खरगोश या किसी दूसरे जानवर की तलाश में बंदूक लेकर घूम रहे थे, ताकि उनके क्रिसमस डिनर का प्रबंध हो सके। उन्होंने एक युवा औरत को तालाब से निकल कर बर्फ में गुम होते देखा। वे गांव वापस आए और उन्होंने चारों ओर यह बात फैला दी कि उन्होंने कुमारी मेरी को देखा है। देखते ही देखते सारा गांव उस तालाब को देखने निकल पड़ा। वहां किसी के स्नान करने के सभी निशान मौजूद थे। यदि कुमारी मेरी वहां थी तो अवश्य ही यह पानी पवित्र होना चाहिए।

उस अधेड़ औरत ने भी यह बात सुनी। उसने अपने लकवाग्रस्त बेटे को अपनी गोद में उठाया और उस तालाब की ओर चल पड़ी। इस विश्वास के साथ कि अवश्य ही कोई-न-कोई चमत्कार होगा, उसने अपने बेटे को उस ठंडे पानी में डुबकी लगवाई। अचानक हुई इस घटना से लगे झटके ने वह करिश्मा कर दिखाया जो दवाइयां और इलाज भी नहीं कर पाए थे। उसे लकवे से मुक्ति मिल गई।

जंगल की आग की तरह इस चमत्कार की कहानी चारों ओर फैल गयी। वह स्थान तीर्थयात्रियों के लिए 'चमत्कार' बन गया। उस यहूदी

लकड़हारे और उसकी पत्नी ने इससे काफी कमाई की। उन्होंने तालाब से छोटी-छोटी शीशियों में पानी भर कर उन्हें ऊंचे दाम पर बेचा कि इनमें बीमारी भगाने की शक्ति है। पोप के एक प्रतिनिधि ने उस स्थान का जायजा लेकर यह पुष्टि की कि वास्तव में कुमारी मेरी उस स्थान पर गई थीं और उस जगह का पानी पीकर कई लोगों को बीमारियों से छुटकारा मिल चुका है। गांव में एक बहुत बड़ा गिरिजाघर बनाया गया और जल्द ही वह एक तीर्थस्थान बन गया। इससे जिस व्यक्ति को सबसे अधिक लाभ पहुंचा वह था ग़रीब यहूदी लकड़हारा, जो अब 'पवित्र-पानी' की लाखों शीशियां बेचकर लखपति बन गया था।

जैंगविल की कहानी निश्चित रूप से, शंकाओं से भरी है, किन्तु इसमें यह सच्चाई भी है कि जिन लोगों का चमत्कार में विश्वास होता है, वे चमत्कारिक रूप से अपने दुखों-बीमारियों से मुक्त हो जाते हैं। मुझे फ्रांस में लुर्डेस के बारे में ज़्यादा नहीं पता, लेकिन कहते हैं कि वहां जाने वाला अपनी बैसाखियां वहां छोड़ कर आता है, जो इस बात का प्रमाण है कि वे बीमारी से ठीक हो चुके हैं जो पहले चल भी नहीं सकते थे। शायद थोड़े बहुत लोग जो ठीक होने को ही थे, वहां जाकर ठीक हो गए, लेकिन वह इस किंवदंती को यादगार बना गए कि ऐसे चमत्कार सम्भव हो सकते हैं।

चमत्कारों में विश्वास हर धर्मप्रणाली में मौजूद हैं। इसका सबसे बड़ा उदाहरण, हिंदुओं में इस विश्वास का है कि गंगा के पवित्र जल में किसी भी बीमारी को दूर करने की क्षमता है। 'पवित्र' पानी के ऐसे ही कुछ कुंड हरियाणा के कुरुक्षेत्र में और राजस्थान के पुष्कर में मिलते हैं। हिंदुओं, सिखों में ऐसा 'पवित्र स्नान' एक अद्वितीय घटना के रूप में हमारे सामने आता है। तारामंडल की स्थिति कुछ दिनों को और भी शुभ बना देती है जैसे 'कुम्भ' के अवसर पर नदियों में 'पवित्र डुबकी' लगाने से और भी फायदा मिलता है। कुछ पवित्र स्नानों के बारे में

56 ◆ खुशवंत सिंह

यह विश्वास किया जाता है कि उनसे अतीत में किए गए सभी पाप 'धुल' जाते हैं।

गुरु नानक ने घोषणा की – 'मेरे पास कोई चमत्कार नहीं है सिवाय ईश्वर के नाम के।' इसके बावजूद, उनके नाम और उन स्थानों के साथ कई चमत्कार जुड़े हुए हैं, जहां उन्होंने यात्राएं कीं। रावलपिंडी (जो अब पाकिस्तान में है) के पास, ताजे पानी के एक सोते के ऊपर एक चट्टान लटक रही है, इस पर एक मानवीय हथेली का निशान है। यह विश्वास किया जाता है कि यह हथेली गुरु नानकदेव की है जिसका निशान तब पड़ा था, जब उन्होंने उस शिलाखंड को रोकने के लिए अपना हाथ आगे बढ़ाया था, जिसे उनसे जलन रखने वाले एक मुसलमान पीर ने ऊपर से नीचे धकेल दिया था, ताकि वह गुरु नानकदेव पर गिर जाए। इस स्थान पर जो गुरुद्वारा बना है, उसे 'पंजा साहिब' कहा जाता है।

पूरे संसार-भर से सिख लोग हर साल इस गुरुद्वारे की तीर्थयात्रा पर निकलते हैं। वहां एक और जगह है, जहां रीठे का फल उगता है, जो सामान्यतः बहुत कड़वा होता है। विशेष रूप से इस पेड़ पर बहुत मीठे फल उगते हैं, क्योंकि कभी इसकी छाया में गुरु नानक देव बैठे थे। सिख श्रद्धालुओं को यह बताने की ज़रूरत नहीं कि वास्तव में वहां, रीठे की एक वानस्पतिक प्रजाति पाई जाती है, जो मीठी है।

हिंदुओं के साथ-साथ सिख लोग भी गुरुद्वारे के सरोवर का पानी पूरी श्रद्धा के साथ लोगों में बांटते हैं। अमृत के इस सरोवर (इसी से अमृतसर का नाम लिया गया है) में स्नान करना सब श्रद्धालुओं के लिए अनिवार्य माना जाता है। इसके साथ हिंदुओं के पवित्र स्थान हरिद्वार में हर की पैड़ी और स्वर्ण मंदिर के 'मुख्य मंदिर' के पीछे से लोग बड़ी श्रद्धा से पानी पीते हैं और इसे बोतलों में भर कर अपने रिश्तेदारों के लिए ले जाते हैं। इसी तरह नई दिल्ली में बंगला साहिब गुरुद्वारे के सरोवर के पानी को भी पूरी श्रद्धा से ग्रहण किया जाता है। बालक गुरु हरिकिशन चेचक की बीमारी का शिकार होने से पहले कुछ समय यहां रहे थे।

इससे शायद ही कोई सहमत हो कि चमत्कारों में विश्वास, धर्म का एक अटूट हिस्सा है। कई श्रद्धालुओं, धार्मिक लोगों को इन झूठे अंधविश्वासों और प्रपंचों पर हंसी आ सकती है। सच में ही इन चमत्कारों ने भोले-भाले लोगों का जितना अहित किया है, उससे इन पर प्रतिबंध लगाने का एक मामला तो बनाया जा सकता है। ऐसी झूठी बातें फैलाने में हमारा फ़िल्मी उद्योग सबसे आगे है। मैं ऐसी कई फ़िल्मों के नाम गिना सकता हूं जो सुपरहिट हुईं और उन्होंने लाखों रुपये कमाए, सिर्फ इन चमत्कारों के नाम पर ही लोगों की भावनाओं का शोषण करके या कम-से-कम ऐसे एक या दो दृश्य ठूंस कर। उदाहरण के लिए, मनमोहन देसाई की फ़िल्म 'अमर अकबर एन्थनी' (1977) के एक दृश्य में निरूपा राय (तीनों नायकों की मां), शिरडी के साईं बाबा के मंदिर में अपनी आंखों की रोशनी दुबारा पा लेती हैं। कई सालों तक हर छोटे बड़े निर्माता निर्देशक ने आम आदमी के धार्मिक चमत्कारों में विश्वास को भुनाया है। मुझे याद आ रहा है कि 1969 में निर्माता द्वय राम सिंह और पन्नालाल महेश्वरी ने एक फ़िल्म बनाई थी, 'नानक नाम जहाज़ है' जिसे राम महेश्वरी ने निर्देशित किया था। इसका विषय था, एक दुर्घटना में एक जवान लड़के की आंखों की रोशनी चली जाना। जब सभी तरह का इलाज असफल हो गया, तो वह सभी प्रमुख गुरुद्वारों की यात्रा पर निकल पड़ा।... और अंत में, अमृतसर के हरि मंदिर से एक पवित्र रोशनी ने निकल कर उसकी आंखों की रोशनी लौटा दी। कितनी सफल कहानी थी वह! लाखों सिखों और हिंदुओं ने वह फ़िल्म कई-कई बार देखी। सच में, इसके बारे में सुना यह गया था कि जिन सिनेमाघरों में फ़िल्म दिखाई जा रही थी, वह सिनेमाघरों के बजाय तीर्थ स्थान बन गए थे, जहां गांवों और कस्बों से लोग जत्थों की शक्ल में पहुंच रहे थे। सिनेमा देखते हुए लोग पर्दे की ओर सिक्के उछाल रहे थे और ज़ोर-ज़ोर से चिल्ला रहे थे – जो बोले सो निहाल, सत् श्री अकाल। फ़िल्म बनाने वालों ने लाखों रुपये बनाए और मूर्खता भरे अंधविश्वास को चारों ओर फैलाया। इस तरह

के कई उदाहरण मैं दे सकता हूं – न सिर्फ फ़िल्मी दुनिया से, बल्कि टेलीविज़न सीरियल की दुनिया से भी। संच में धार्मिक संस्थाओं के लिए चमत्कार, पैसा बनाने का सबसे बड़ा ज़रिया है।

3

कुरान की खूबसूरती

कुरान दुनिया के सबसे महान ग्रन्थों में से एक है और इसकी कुछ कविताएं ओल्ड टेस्टामेंट के बराबर ही प्रभावशाली हैं। इसके कई अनुच्छेद नैतिक संदेशों के लिए पढ़े जा सकते हैं। कई छोटे सूरों (अध्यायों) में प्रभावशाली काव्य-कल्पना और कुरान में संगीत की बहुत बड़ी मात्रा मिलती है।

कई साल पहले, एक चमकीली रविवार की सुबह, दो दाढ़ीधारी मौलवियों (मुस्लिम विद्वान) ने मुझे ज्ञानी इब्दुल्लाह, जो एक सिख से मुसलमान बने थे, की अनुवाद की हुई पवित्र कुरान की एक प्रति उपहार में दी। वे अहमदिया धर्म प्रचारक थे जिन्होंने अपना जीवन 'तब्लीग' (कुरान का संदेश लोगों तक पहुंचाना) के नाम समर्पित कर दिया था। मैं पैगम्बर मुहम्मद से संबंधित पुस्तकों और जीवनियों में सिर्फ कुछेक अनुच्छेद ही पढ़ पाया था। मैं कभी भी पूरी कुरान नहीं पढ़ पाया। गुरु ग्रन्थ-साहिब के अलावा, जो

धर्मग्रंथ मैं पूरे पढ़ पाया, वे थे उपनिषदों और गीता के छोटे संस्करण, जिनके पढ़ने में एक घंटे से भी कम समय लगता है।

धर्म-ग्रन्थों के लिए मेरे मन में कोई बहुत ज़्यादा उत्साह नहीं है। हालांकि मुझे, प्रिंसटन विश्वविद्यालय में धर्म के विभाग में और आगे चलकर स्वार्थमोर महाविद्यालय (दोनों अमरीका में हैं) में व्याख्याता के रूप में कई ग्रन्थों को पढ़ना पड़ा था। तब मैंने कहीं-न-कहीं इनमें काफी दोहराव और उबाऊपन पाया। जब मैं उन लोगों से मिलता हूं, जो अपने दिन का अधिकांश हिस्सा अपने धर्मग्रन्थों को पढ़ने में बिताते हैं और देखता हूं कि वे कितनी गहराई से उन्हें गुनगुनाते हुए झूमते हैं। मुझे लगता है जैसे मैं कुछ बहुत ही बहुमूल्य चीज़ से वंचित हो रहा हूं। शायद वह शब्दों का संगीत है, जिसे वे महसूस कर रहे हैं। गीता की संस्कृत भाषा, जिसे गुरु अर्जुन देव ने संतभाषा के रूप में प्रयोग किया। मुसलमानों में काफी लोग अपनी पवित्र पुस्तक का अनुवाद पढ़ने या उसका संदेश समझने की परवाह ही नहीं करते। वे सिर्फ प्रार्थना करने के लिए मूल अरबी भाषा में लिखे कुछ वाक्य ही याद कर लेते हैं। ग़ैर-मुस्लिम लोग तो कुरान से बहुत ही कम परिचित हैं और इसे पढ़ने में वे अपने भीतर पहले से ही ओढ़े गए पूर्वाग्रहों में जकड़े रहते हैं। यह दुनिया के सबसे महान ग्रन्थों में से एक है और इसकी कुछ कविताएं 'ओल्ड टेस्टामेंट' के बराबर ही प्रभावशाली हैं। इसके कई अनुच्छेद नैतिक संदेशों या अपने साहित्यिक गुणों के लिए पढ़े जाते हैं। डॉ. सैमुअल जोनसन (ब्रिटेन के जाने-माने कोशकार) के शब्दों में 'जिज्ञासा के दो उद्देश्य होते हैं – ईसाई समुदाय और मुस्लिम समुदाय। बाकी सभी को असभ्य माना जा सकता है।' उनके विचारों से दूसरे यूरोपीय विद्वान सहमत नहीं हैं। दांते एलिगियेरी, वॉल्तेयर और टॉमस कार्लाइल, कुरान को बिना पढ़े ही इसके संबंध में कुछ सख़्त बातें कहते हैं। जबकि इनमें से कोई भी अरबी भाषा नहीं जानता।

कुरान का अंग्रेज़ी में सबसे पुराना अनुवाद है 'द अल-कुरान ऑफ़ मोहम्मद' जो 1649 में प्रकाशित हुआ और जिसका एलैक्जेंडर रोस ने फ्रैंच संस्करण से अनुवाद किया। फिर भी, 1973 में प्रकाशित 'द

अल-कुरान ऑफ़ मोहम्मद' जिसका जार्ज सैफ ने लेटिन भाषा से अनुवाद किया, पहला 'शोध आधारित' अनुवाद माना जाता है। इसका सबसे अधिक पढ़ा गया अंग्रेज़ी संस्करण आज भी उपलब्ध है। अरबी भाषा से अंग्रेज़ी में अनुदित 'सेलेक्शन फ्रॉम द कुरान' 1843 में प्रकाशित हुआ। बाद में, 1930 में मरमाडयूक पिकताल, जो बाद में अंग्रेज़ से मुसलमान बने थे, द्वारा अरबी भाषा से अंग्रेज़ी में 'मीनिंग ऑफ़ द ग्लोरियस कुरान' (नॉफ द्वारा प्रकाशित) अनुवाद किए जाने तक इसके कई अनुवाद छप चुके थे। पिकताल ने न केवल यह स्वीकार किया कि कुरान अनुवाद के योग्य नहीं है (इस्लामिक विद्वान, जिनमें प्रोफेसर एच.ए.आर. गिब्स भी शामिल हैं) बल्कि वह यह भी कहते हैं कि – जो व्यक्ति इसके महत्त्व और इसके संदेश में विश्वास नहीं करता, वह किसी भी धार्मिक ग्रन्थ के साथ न्याय कर ही नहीं सकता। उन्होंने इसके भाव पक्ष का विशेष रूप से उल्लेख किया 'इसका भाव पक्ष इतना शक्तिशाली है कि परम आनंद की स्थिति में एक इंसान की आंखों में आंसू उमड़ आते हैं।

उपहार में मिले कुरान के गुरुमुखी अनुवाद ने मुझे मजबूर कर दिया कि मैं इसका अंग्रेज़ी अनुवाद भी पढ़ूं, जो कि मेरे पास पड़ा था। मुझे याद है कि सत्तर साल पहले मैंने पिकताल का संस्करण ढूंढने और कुरान पढ़ने में पूरा एक महीना लगाया था। मैंने लाहौर में एक मौलवी की मदद से इस पर बहुत मेहनत की थी, जो मुझे मूल पुस्तक पढ़कर सुनाते थे और मैं उनके पीछे-पीछे पुस्तक का अनुवाद पढ़ता। मैं पहले तीन सूरा* (अध्याय) से अधिक पढ़ नहीं पाया, जब किसी कारण मेरे सलाहकार ने यह काम छोड़ दिया। ए.जे. आरबेरी के

* पवित्र कुरान एक सौ चौदह हिस्सों में बंटा हुआ है, जिनमें शामिल कविताओं की शक्ल एक पुस्तक के अध्यायों जैसी ही है। कुरान के इन हिस्सों को ईश्वर ने 'सूरा' (सूरह) कहा है।

अनुवाद के साथ भी यही कुछ हुआ। आधी पुस्तक पढ़ने के बाद मैंने इसे छोड़ दिया। मैं आरबेरी को बहुत अच्छा अनुवादक नहीं मानता, क्योंकि सटीकता लाने के उत्साह में उसने इसके शब्दों की संगीतमयता को समाप्त कर दिया।

अब्दुल्लाह युसुफ अली का टिप्पणी सहित संस्करण ही था, जिसने मुझे यह पवित्र पुस्तक पढ़ने के लिए प्रेरित किया। हर सुबह मैं रेडियो पाकिस्तान लगाकर 'काज़ी' (जो नमाज़ पढ़ता है) को सुनता था। चार आयतें (छन्द) गुनगुनाता था, और अनुवाद के साथ लिखा अरबी मूल का पाठ करता था। तब मैंने कहीं से एन.जे. दाऊद द्वारा लिखित 'द कुरान' प्राप्त की। दाऊद एक इराकी नागरिक थे और इंग्लैंड में बस गए थे। उन्होंने कई उत्कृष्ट अरबी पुस्तकों का अनुवाद किया था, जिनमें 'टेल्स फ्रॉम द थाऊजेंड एंड वन नाईट्स भी शामिल थी। उनके द्वारा किया गया कुरान का अनुवाद सबसे पहले 1916 में छपा। तब से लेकर अब तक इसके कई संस्करण निकल चुके हैं और शायद यह इस पवित्र पुस्तक का सबसे ज़्यादा पढ़ा गया अनुवाद है। इस पठनीय संस्करण के बारे में मेरी यह शिकायत है कि उन्होंने इसके आधिकारिक संस्करण में वर्णित क्रम को बदल दिया है। इस चीज़ ने मुझे भ्रम में डाल दिया है, क्योंकि मैं इसे उसी क्रम में पढ़ना चाहता था, जिस क्रम में मुसलमान लोग पढ़ते हैं। तब मैंने मौलाना अब्दुल कलाम आज़ाद की 'तर्जुमन-उल-कुरान' प्राप्त की, जो 1930 में तीन खंडों में प्रकाशित हुई थी। ऐसे ही, अहमद अली की 'द कुरआन-ए कान्टेम्पोरेरी ट्रांसलेशन' थी, जो 1984 में ऑक्सफोर्ड यूनिवर्सिटी प्रैस से प्रकाशित हुई (मैं इस अध्याय के आख़िर में आज़ाद के संस्करण पर बात करूंगा)।

कुरान पढ़ने के कई कारण मौजूद हैं। पहला तो यह है कि दूसरे धर्मग्रन्थों के लिए उसको मानने वालों का महत्त्व ज़्यादा है जबकि मुस्लिम लोगों के लिए कुरान अधिक महत्वपूर्ण है। कुरान को मानने

वाले सिर्फ मुसलमान ही हैं, लेकिन दूसरे धर्म में कई-कई धर्मग्रन्थ बने हुए हैं। एक लेटिन कहावत मशहूर है – 'कैविआब बोमीनयूनियूस लीब्री' यानी सिर्फ एक ही पुस्तक को मानने वाले व्यक्ति से सावधान रहें। पूरे संसार में करोड़ों मुसलमान ऐसे हैं जिन्होंने दूसरी कोई पुस्तक नहीं पढ़ी, लेकिन कुरान में क्या लिखा है, वे जानते हैं। एक ही धर्मग्रन्थ के प्रति एकचित्त व्यक्ति की भक्ति के कारण ही शायद इस मनगढ़ंत कहानी का जन्म हुआ है कि मुस्लिम विजेताओं ने एलेक्जेंड्रिया की लाइब्रेरी जला दी थी। उन्होंने यह घोषणा की थी कि 'अगर ये पुस्तकें हमारी कुरान से सहमत हैं तो इनकी ज़रूरत नहीं हैं, इसलिए इन्हें नष्ट कर देना चाहिए और अगर ये सहमत नहीं हैं तो ये बिल्कुल ग़लत हैं इसलिए इन्हें नष्ट कर देना चाहिए।'... या फिर इसी तरह की बातें कही गई हैं। यदि आप जीवन के बारे में मुस्लिम मूल्यों को जानने की इच्छा रखते हैं तो आपको अवश्य ही कुरान पढ़ना चाहिए।

कुरान का कोई भी लेखक नहीं है। मुस्लिम लोगों का विश्वास है कि यह अल्लाह द्वारा पैगम्बर मुहम्मद के समक्ष एक बार में नहीं, बल्कि थोड़ी-थोड़ी करके कई सालों के अंतराल में प्रकट की गई। यह रहस्योद्घाटन उनके अनुयायियों द्वारा याद कर लिया गया जिसे बाद में 'ताम्र पत्रों, पत्थरों और हड्डियों पर लिखा या गोदा गया। इसका अधिकृत संस्करण पैगम्बर मुहम्मद के इंतकाल के बाद संकलित किया गया। कुरान का कॉपीराइट अल्लाह के पास है, पैगम्बर मुहम्मद के पास नहीं, जिन्होंने इसे केवल अपनी वाणी से निकले शब्दों के उच्चारण से प्रकाशित किया। यह सब कैसे हुआ, यह काफी नाटकीय था। लेकिन इससे पहले कि हम इसका वर्णन करें, हमें पहले हज़रत मुहम्मद के बारे में जान लेना चाहिए।

हज़रत मुहम्मद का जन्म 570 ईस्वी में अरब के मशहूर कबीले कुरैशी

और शहर मक्का में हुआ। इनके जन्म से पहले ही इनके पिता हज़रत अब्दुल्ला का देहांत हो चुका था। जब हजरत मुहम्मद काफी छोटे थे, इनकी माता का भी अंतकाल हो गया। ऐसे में इनके दादा और इनके चाचा ने इनकी परवरिश की। वह सुंदर होने के साथ-साथ एक शानदार व्यक्तित्व के स्वामी भी थे। उनकी ईमानदारी पूरे इलाके में एक 'अमानत' के रूप में मशहूर थी। इसी कारण उन्हें 'अल-अमीन' यानी अमानतदार कहा जाता था। हालांकि वह पढ़े-लिखे नहीं थे, लेकिन कुछ व्यापारियों ने उन्हें अपने यहां मुलाज़िम रख लिया। इस कारण उन्होंने अरब के दूर-दराज़ के देशों में भी व्यापारिक यात्राएं कीं। उनकी अंतिम नौकरी एक अमीर विधवा, खदीजा के यहां थी, जो उनसे उम्र में 15 साल बड़ी थीं। पच्चीस वर्ष की उम्र में उन्होंने हज़रत खदीजा से विवाह रचा लिया। ये एक दूसरे के बहुत निकट और समर्पण वाले संबंध थे और उन्होंने खदीजा की मृत्यु के बाद भी दूसरे विवाह से साफ़ इनकार कर दिया। हजरत मुहम्मद के तीन पुत्र थे, जो बचपन में ही मृत्यु को प्राप्त हो गए और उनके चार बेटियां थीं। फातिमा उनमें सबसे छोटी और उन्हें बहुत प्रिय थी। खदीजा से उनके विवाह के दौरान ही उनमें कुरान अवतरित होना शुरू हो चुका था। खदीजा पहली वह इंसान थी, जिन्हें यह ज्ञान हुआ कि अल्लाह ने उनके पति को अपने दूत के रूप में चुना है।

हज़रत मुहम्मद मक्का के निकट एक पहाड़ी गुफा में कई दिन तक रहे। जहां वह कई-कई घंटे अकेले में ही अल्लाह का चिन्तन मनन करते थे। उनका मन इसलिए बहुत परेशान रहता था कि लोग 'एक' ईश्वर में विश्वास नहीं करते थे और उनके द्वारा पूजी जाने वाली देवियों को कथित तौर पर अल्लाह की बेटियां कहा जाता था, जिनकी मूर्तियां काबा में स्थापित की गई थीं (एक घन-आकार का भवन, जो मक्का में है)।

एक रात, 610 ईस्वी में रमज़ान महीने के अंतिम दिनों में, कुरान का अवतरण हुआ, जिसमें एक आवाज़ ने उन्हें आदेश दिया – 'पढ़'! (अरबी में कुरान का अर्थ है – पढ़ना) मैं क्या पढ़ूं? मैं पढ़ा हुआ

नहीं हूं। तीन बार फ़रिश्ते ने आदेश दोहराया – पढ़। उसके बाद उस आवाज़ ने उन्हें बताया कि क्या पढ़ना है –

> **'पढ़ो, अपने पालनहार के नाम के साथ, जिसने पैदा किया। इंसान को जमे हुए खून के लोथड़े से पढ़ो कि तुम्हारा पालनहार बड़ा ही उदार है,जिसने कलम के द्वारा शिक्षा दी मनुष्य को वह ज्ञान प्रदान किया, जिसे वह नहीं जानता था।**

वह रात, जब यह सब कुछ घटित हुआ, 'लीलात-उल-कादर' कहलाती है या जिसे गौरव भरी रात कहा जाता है। यह सब एक सूरा (अध्याय) में इस तरह वर्णित है –

> **हमने क़द्र की रात कुरान को प्रकट किया है**
> **क्या तुम जानते हो कि क़द्र की रात क्या है?**
> **क़द्र की रात एक हज़ार महीनों से भी बेहतर है।**

कुरान की आयतें एक के बाद एक कई बार प्रकट हुईं। मक्का में उतरी आयतें कुछ तो बहुत लंबी थीं, दूसरी उनके शहर छोड़ने के बाद सन 622 ईस्वी में प्रकट हुईं। यह वह तिथि है, जहां से मुस्लिम हिज्री (हिज्रत से लिया गया) कैलेण्डर शुरू होता है, जो अपेक्षाकृत छोटी है। कुरान में इस अवतरण के उद्देश्य के अनगिनत संदर्भ मौजूद हैं। 'कुरान उन मनुष्यों का मार्गदर्शन करेगा, जो सबसे ईमानदार हैं'... कि हमने जो कुरान में प्रकट किया है, वह एक पीड़ा दूर करने वाली औषधि (बाम) है और एक आशीर्वाद है... हमने सच्चाई के साथ कुरान को प्रकट किया है और सच्चाई के साथ ही वह आकाश से नीचे उतरी है।

पैगम्बर मुहम्मद ने मूल रूप से कुरान के प्रकट होने का दावा नहीं किया और यह स्पष्ट किया कि वह ईश्वर द्वारा यहूदियों और ईसाइयों को इससे पहले किए गए अवतरण का अनुमोदन कर रहे हैं। उन्हें अरबी भाषा में ईश्वर का संदेश पहुंचाने के लिए इस कारण से चुना

गया था, क्योंकि वे इसके अर्थ को अपने भीतर समाहित कर सकते थे। यह हमारे पवित्र ग्रन्थ की भाषा है, जो उत्तम है और ज्ञान से भरी है... सभी दोषों से मुक्त है और आसानी से याद करने योग्य है।

कुरान में कई कहानियां ओल्ड टेस्टामेंटस से लेकर दोहराई गई हैं जो इब्राहिम इसाक मोज़ेज फराओह, डेविड, एज़ेकिल, जोन्नाह, लॉट और यीसु से संबंधित हैं। इनका उद्देश्य अल्लाह की अवहेलना करने वालों को चेतावनी है और ऐसा करने पर उसके नतीजों के बारे में बताना है। कुरान का अधिकांश हिस्सा अपराध और उसकी उचित सज़ाओं, विवाह के लिए क़ानून, तलाक, उत्तराधिकार और इस बात से संबंधित है कि किस चीज़ को क़ानूनी रूप से प्रयोग किया जा सकता है और किस कार्य की मनाही (हराम) है।

मेरी यह जानने की बहुत इच्छा थी कि अल्कोहल का उपभोग हराम है या नहीं, जैसा कि कुछ रूढ़िवादी मुस्लिम लोग मानते हैं और शराब की वकालत करने वालों से अपनी असहमति प्रकट करते हैं। शराब पीने के संदर्भ में मैं कम-से-कम सात कारणों को जानता हूं, जो इस विषय पर स्पष्ट नहीं हैं। सबसे ज़्यादा उदाहरण 'दॅ बी' नामक एक अध्याय की इन पंक्तियों से दिया जाता है –

'हम आपको ताड़ और बेल के फल देते हैं
जिससे आप नशे के पदार्थ और पौष्टिक भोजन
प्राप्त करते हैं।'

निश्चित रूप से इन पंक्तियों में, समझदार पुरुषों के लिए एक संकेत है। 'द रैंक्स' नामक अध्याय में स्वर्ग का वर्णन है, जहां ईश्वर के सेवक –

... अच्छी तरह रोज़ी–रोटी पाएंगे, स्वादिष्ट फलों
का भोजन करेंगे और खुशी के बागों (जन्नत) में
सम्मान से रहेंगे... उन्हें एक शुद्ध पेय परोसा जाएगा,

साफ़ और स्वादिष्ट। न वे उससे निढाल होंगे और न मदहोश।

'मोहम्मद' नामक अध्याय में थोड़ा-सा अलग वर्णन है, जिसमें एक वायदा हैः 'प्रदूषण रहित पानी का, हमेशा ताज़े दूध की नदियों का, आनंददायक शराब की नदियों का, शुद्ध शहद की नदियों का। 'वहां सबसे शुद्ध शराब की सुराहियों और प्यालों का वर्णन है, जो एक हाथ से दूसरे हाथ पहुंचते हैं और जिससे न तो सिर में दर्द होगा और न ही सोच-विचार की शक्ति ख़त्म होगी। सीलबंद शुद्ध शराब, जिसमें बची शराब क़स्तूरी जैसी है, जो तसनीम (जन्नत में बहने वाली एक नदी) के पानी से बनी है। यह मुझे विश्वास दिलाता है कि मेरा हर रोज़ का पाप अभी साबित नहीं किया जा सका है।

मेरा इस अध्याय को लिखने का उद्देश्य है कि पाठकों को कुरान के साहित्यिक महत्त्व का पता चल सके, लेकिन यह सब करने से पहले मैं 'उन्हें' मुस्लिम प्रार्थना में अक्सर बोले जाने वाले कुछ वाक्यों से परिचित कराना चाहूंगा। मैं इसके लिए एक अलग अनुवाद का प्रयोग करूंगा, ताकि आप अनुवाद के स्तर के बारे में खुद ही निर्णय कर सकें। सबसे अधिक पढ़ा जाने वाला अध्याय है – अल-फतीहा, सबसे शुरुआती अध्याय जिसे उम्स-उल-कुरान भी कहा जाता है (कुरान की खुशबू), इसके साथ-साथ सबान-मिल-अल-मथानी, और अल-हामद (मंगलाचरण) –

सारी प्रशंसाएं अल्लाह ही के लिए हैं,
जो सारे जगत का प्रभु है
बड़ा कृपाशील, बड़ा दयावान है
न्याय के दिन का मालिक है
हम तेरी ही बंदगी करते हैं
और तुझ से ही से मदद मांगते हैं।
हमें सीधे मार्ग पर चला, हे प्रभु!

इन लोगों के मार्ग पर जो तेरे कृपापात्र हुए,
जो न प्रकोप के भागी हुए और न पथभ्रष्ट।

(मर्माड्यूक पिकताल)

अधिकतर मुस्लिम प्रार्थनाएं 'दुरूद' के पाठ पर ख़त्म होती हैं। (पैगम्बर की प्रशंसा में बोली गई आयतें**) यह सूरा इख़लास से है –

''कहो –
वह अल्लाह है
एक ईश्वर
अल्लाह निरपेक्ष और सर्वाधार है
न वह जनिता है और न जन्म
और न कोई उसके समकक्ष है

(अब्दुल्लाह युसुफ अली)

आयत-उल-कुर्सी या सिंहासन कविता, दूसरे सूरा 'अल-बकरा' से है, जो मुसलमानों के लिए विशेष महत्त्व रखती है। यह शायद मुस्लिम मक़बरों पर तावीज़ों में और गले के हारों पर सबसे अधिक लिखी जाने वाली कविता है (मेरे पास बिदारी प्लेट पर चांदी में जड़ी एक ऐसी सुन्दर कृति पड़ी है) लोग अक्सर इस आयत का इसलिए इस्तेमाल करते हैं, क्योंकि उनका विश्वास है कि इनमें बीमारियां दूर करने की क्षमता है। इन्हें बुरी आत्माओं के डर को दूर भगाने के लिए बोला जाता है।

अल्लाह – यहां ईश्वर कोई नहीं, सिवा उसके
वह खुद ज़िंदा है और दूसरों को ज़िंदा रखने वाला

---

* सूरा के ख़ास-ख़ास टुकड़ों और वाक्यों को, जिनकी हदबंदी ईश्वर की ही ओर से हुई है, 'आयत' कहा गया है।

उसे न ऊंघ आए, न नींद
उसी का है जो कुछ आसमानों में है
और जो कुछ ज़मीन में
वह कौन है जो उसके हुक्म के बग़ैर
उसके यहां सिफारिश करे वह जानता है
सब कुछ, जो मनुष्य के सामने प्रस्तुत है,
जो कुछ उनके भविष्य में है
और जो कुछ उनके अतीत में और वे नहीं पा सकते
उसके ज्ञान में से उसकी इच्छा के बग़ैर
उसकी कुर्सी में समाए हुए हैं आसमां और ज़मीन
और उसे भारी नहीं उनकी निगाहबानी
और वह ही है बुलंद और सबसे ऊंचा

(अहमद अली)

अगली कविता अक्सर इस्लाम की सहनशीलता को साबित करने के लिए उद्धृत की जाती है —

यहां आस्था के मामलों में कोई बंदिश नहीं
महत्वपूर्ण है ग़लतियों से सबक लेने का ढंग
वह जो बुराई से दूर हो जाता है
और भगवान में विश्वास रखता है
निश्चित रूप से उसी का सहारा लेता है
जो मजबूत है और अटूट भी
क्योंकि अल्लाह सब सुनता है, सब जानता है

(अहमद अली)

कुछ कारण मुझे स्पष्ट नहीं हैं कि क्यों सूरा यासीन को 'कुरान का दिल' कहा जाता है। यह जीवन की निरंतरता के प्रति लोगों को आश्वस्त करता है —

निस्संदेह हम मुर्दों को जीवित करेंगे और हम लिखेंगे, मानव ने जो कर्म किए और जो चिन्ह उन्होंने पीछे छोड़े वे हर घृणा पर हंसते हैं, जो उनके सामने आती है एक बार मश्त (बंजर) पृथ्वी को उनके लिए एक संकेत बनने दो हमने इसे (पृथ्वी को) जीवन दिया और उनके जीवन के लिए अन्न पैदा किया। हमने इस पर ताड़ और बेल उगाए और हमने इसे भावनाओं के हरेपन से सींचा ताकि मानव जाति इसके फल को खाकर जीवित रह सके।

आगरा के ताजमहल के प्रवेश द्वार पर इस सूरा की पंक्तियों को वंदनवार की तरह लिखा गया है।

मुस्लिम लोगों और साहित्य-प्रेमियों की पसंदीदा है सूरा रहमान (दया से भरी), जिसकी पंक्तियों — 'तुम अपने ईश्वर की महानताओं में से किस-किस को झुठलाओगे?' को हर निश्चित वाक्य के बाद दोहराया गया है —

'वही (रहमान) दयावान है, उसी ने कुरान सिखाया, उसी ने मनुष्य को पैदा किया और उसे बोलना सिखाया सूर्य और चंद्रमा अपने समय के पाबंद हैं और पेड़-पौधे सजदा करते हैं। उसने आकाश को ऊंचा किया और सभी चीजों में संतुलन बनाया कि तुम सीमा का उल्लंघन न करो न्याय के साथ ठीक-ठीक तौलो और तौल में कमी न करो उसने धरती को अपने सभी प्राणियों के लिए बनाया, जिसमें स्वादिष्ट फल हैं और खजूर के पेड़ हैं, जिनके फल छिलकों से ढके हुए हैं और भूस वाले अनाज की और सुगंधित बेल बूटे

भी तुम अपने ईश्वर की महानताओं में से किस-किस
को झुठलाओगे?

उसने मनुष्य को ठीकरी जैसी मिट्टी से
और जिन्न को उसने आग की लपटों से पैदा किया
और तुम अपने ईश्वर की सामर्थ्यों में से किस-किस
को झुठलाओगे?

वह दो पूर्व का ईश्वर है और दो पश्चिम का भी
इसलिए तुम अपने ईश्वर की महानताओं में से
किस-किस को झुठलाओगे?

उसने आपस में मिलते दो समुद्रों को प्रवाहित किया
उन दोनों के बीच एक परदा होता है
जिसका वे अतिक्रमण नहीं करते
तो तुम अपने ईश्वर के चमत्कारों में से किस-किस
को झुठलाओगे?

उन समुद्रों से निकलता है मोती और मूंगा
और तुम अपने ईश्वर के चमत्कारों में से किस-किस
को झुठलाओगे?

उसी के वश में हैं समुद्रों में पहाड़ों
की तरह उठे हुए जहाज़ और तुम
अपने ईश्वर की अनुकम्पाओं में से
किस-किस को झुठलाओगे?

प्रत्येक प्राणी, जो इस धरती पर जीवित है, नाशवान
है, किंतु तुम्हारे ईश्वर का स्वरूप शेष रह जाएगा

अपने प्रताप और उदारता के साथ और तुम
अपने ईश्वर के चमत्कारों में से किस किस को
झुठलाओगे?

आसमानों और धरती पर जो भी है,
उसी से मांगता है हर रोज़, उसकी अनोखी शान है
और तुम ईश्वर की कृपाओं में से किस-किस को
झुठलाओगे?

ऐ मनुष्यों और जिन्नों! हम निश्चित रूप से तुम्हें
परखने का समय निकाल लेंगे और तुम ईश्वर की
कृपाओं में से किस-किस को झुठलाओगे?

ऐ मनुष्यों और जिन्नों! यदि तुमसे हो सके कि
आसमानों और धरती की सीमाओं को
पार कर सको, तो पार कर जाओ तुम कभी भी पार
नहीं कर सकोगे, बिना हमारी अधिकार शक्ति के
और तुम अपने ईश्वर की सामर्थ्यों में से किस किस
को झुठलाओगे?

तुम पर अग्नि ज्वाला और पिघला तांबा उंड़ेला
जाएगा। कोई नहीं होगा, तुम्हारी सहायता करने
वाला और तुम अपने ईश्वर की सामर्थ्यों में से
किस-किस को झुठलाओगे?

और फिर जब आकाश फट जाएगा
और हो जाएगा लाल चमड़े की तरह
और तुम अपने ईश्वर के चमत्कारों में से किस-किस
को झुठलाओगे?

फिर उस दिन न किसी मनुष्य से, न किसी जिन्न से
उसके गुनाह के बारे में पूछा
जाएगा और तुम अपने ईश्वर के चमत्कारों
में से किस-किस को झुठलाओगे?

अपराधी पहचान लिए जाएंगे उनके चेहरों से और
उन्हें पकड़ा जाएगा माथे के बालों और टांगों से और
तुम अपने ईश्वर की सामर्थ्यों
में से किस-किस को झुठलाओगे?

यही वह नरक है जिसे अपराधी झूठ ठहराते हैं
वे उसके और खौलते हुए पानी के बीच चक्कर लगा
रहे होंगे और तुम अपने ईश्वर की सामर्थ्यों में से
किस-किस को झुठलाओगे?

किंतु जो अपने ईश्वर के सामने खड़े होने का डर
रखता होगा, उसके लिए छायादार पेड़ों से बने दो
बाग हैं और तुम ईश्वर की कृपाओं में से किस-किस
को झुठलाओगे?

उन दोनों बागों मे दो बहते हुए स्रोत हैं
और तुम ईश्वर की कृपाओं में से किस-किस को
झुठलाओगे?

उन दोनों बागों में हर स्वादिष्ट फल की दो–दो
किस्में हैं, तुम ईश्वर की कृपाओं में से किस-किस
को झुठलाओगे?

वे ऐसे बिछौनों पर तकिए लगाए हुए होंगे जिनके
अस्तर गाढ़े रेशम के होंगे

और दोनों बागों के फल निकट ही होंगे तुम ईश्वर
की कृपाओं में से किस-किस को झुठलाओगे?

उन (कृपाओं) में निगाह बचाए रखने वाली सुंदर
स्त्रियां होंगी, जिन्हें पहले न किसी मनुष्य ने छुआ
होगा, न किसी जिन्न ने तुम ईश्वर की कृपाओं में से
किस-किस को झुठलाओगे?

वे कन्याएं लाल और मूंगे की तरह
सुंदर होंगी तुम ईश्वर की कृपाओं
में से किस-किस को झुठलाओगे?

अच्छाई का बदला अच्छाई के सिवा और क्या होगा?
और उन दोनों बागों से अलग,
और दो बाग होंगे, तुम ईश्वर की कृपाओं
में से किस-किस को झुठलाओगे?

उन दोनों बागों में जोश मारते दो स्रोत हैं
उनमें हैं स्वादिष्ट फल और खजूर
...और अनार तुम ईश्वर की कृपाओं
में से किस-किस को झुठलाओगे?

उन दोनों बागों में होंगी पवित्र
कन्याएं तुम ईश्वर की कृपाओं में
से किस-किस को झुठलाओगे?

काली गहरी आंखों वाली परम रूपवती स्त्रियां (हूरें)
खेमों में रहने वाली तुम ईश्वर की कृपाओं में से
किस-किस को झुठलाओगे?

जिन्हें पहले न किसी मनुष्य ने छुआ होगा न किसी
जिन्न ने तुम ईश्वर की कृपाओं में से किस-किस को
झुठलाओगे?

वे हरे रेशमी गद्दों और उत्कृष्ट कालीनों पर तकिए
लगाए होंगे, तुम ईश्वर की कृपाओं
में से किस-किस को झुठलाओगे?
अल्लाह के नाम से, जो बड़ा
कृपालु और दयावान है।

(एन.जे. दाऊद)

एक और पसंदीदा सूरा है – निसा (ऊंचाइयां), लेकिन एक चेतावनी के साथ –

बुराई को हटाने के बाद पृथ्वी को भ्रष्ट मत करो।
वह अपनी दया के अग्रदूत के रूप में हवाओं को
भेजता है और जब वे एक भारी बादल को इकट्ठा
कर लेते हैं, वह उन्हें किसी बंजर जमीन पर बरसा
देता है। इस तरह वह हर तरह के फल लाता है।

कुरान यह विश्वास दिलाता है कि झूठ पर हमेशा सच की जीत होगी। भगवान सच्चा है। ''हम झूठ पर 'सच' चिल्लाएंगे और वह (सच) इसे (झूठ को) हरा देगा और यह ग़ायब हो जाएगा।'' झूठ और बुराई के प्रतिकार की आवश्यकता अचानक ही नहीं होती, क्योंकि लोगों को पश्चात्ताप का समय दिया जाता है। 'मैं उनके साथ हूं जो प्रतीक्षा करते हैं', कुरान कहता है। पश्चात्ताप के लिए मिला समय बेकार नहीं करना चाहिए। पश्चात्ताप दया की शक्ति देता है। पश्चात्ताप में बहाई गई आंसू की हर बूंद, पाप के धब्बों को धो देती है। पैगम्बर मुहम्मद ने

स्वयं यह विश्वास दिलाया है कि 'जो सच्चे दिल से पश्चात्ताप करता है, वह उस इंसान की तरह है जिसने कभी कोई पाप नहीं किया हो।'

यह बात ध्यान देने योग्य है कि इस्लाम, ईसाई धर्म की तरह अपने दुश्मनों से प्यार करने की बात नहीं कहता (जो कि प्रकृति के नियम के विरुद्ध है), लेकिन वह केवल उन्हें माफ कर देता है। पाप से नफ़रत करो, पापी से नहीं। इस्लाम जवाबी कार्रवाही को भी सही ठहराता है, लेकिन यह नुक़सान सहने की सीमा तक ही होना चाहिए। लोकप्रिय धारणा के विपरीत, कुरान मुसलमानों को यह प्रेरणा नहीं देता कि इस्लाम धर्म में न विश्वास करने वालों (काफ़िर) के खिलाफ़ युद्ध छेड़ दिया जाए। वह सिर्फ उन लोगों के ख़िलाफ है जो इस्लाम में विश्वास करने वालों को गाली देते हैं और कुरान व नबी के खिलाफ़ हैं। वैसे, हर किसी को यह अधिकार है कि जो कुछ वह अच्छा मानता है, करे। 'तुम अपना रास्ता देखो और मैं अपना' यह घोषणा कर दो और यह आश्वासन दो कि 'धर्म में किसी तरह की कोई बाध्यता नहीं होती।'

सूरा अल-माइदा में, अल्लाह ने अपने पैगम्बर को आश्वस्त किया कि इस दिन मैंने तुम्हारा धर्म तुम्हारे लिए सिद्ध किया है। इस सूरा में यह यादगार कविता है, जो इस्लाम द्वारा सहनशीलता की बात करती है –

> ''...हत्या या अन्य जघन्य अपराधों के लिए एक
> सजा के रूप में छोड़कर, जिसने भी किसी इंसान
> को मारा हो, उसे यही समझना चाहिए उसने पूरी
> मानव जाति को मार डाला है और जिसने एक भी
> मनुष्य को बचाया हो, उसे यही समझना चाहिए कि
> उसने पूरी मानव जाति बचाई है।''
>
> (एन. जे. दाऊद)

मैं इन पन्नों में जितना कुछ लिख सकता हूं, कुरान में इससे कहीं अधिक मौजूद है। इन नैतिक संदेशों या साहित्यिक उत्कृष्टता के लिए अनगिनत वाक्य पढ़े जा सकते हैं।

कई छोटे-छोटे अध्यायों (सूरा) में शक्तिशाली काव्यात्मक कल्पना मौजूद है। यानी — गवाह हैं नथुनों से आवाज़ निकालते जंगी घोड़े, ठोकरों से चिंगारियां निकालते हैं, फिर सुबह-सवेरे धावा मारते हैं ग़र्द-गुबार के साथ और दुश्मन के टुकड़े कर देते हैं। निस्संदेह, इंसान अपने ईश्वर के प्रति बड़ा कृतघ्न है। इसके लिए उसे स्वयं ही गवाह होना चाहिए। और फिर — 'मैं शाम की लालिमा की कसम खाता हूं रात की और उसके समेट लेने की और चंद्रमा की जब वह पूर्ण हो जाता है, निश्चय ही तुम्हें मंज़िल-दर-मंज़िल चढ़ना है।'

सूरा अल-ज़ारियात (हवाएं) बहुत ही शानदार पंक्तियों के साथ शुरू होती है —

गवाह हैं ग़र्द गुबार उड़ाती हुई हवाएं और भारी बोझ
से (पानी) लदे बादल, गवाह है तेज़ी से चलते हुए
जहाज और गवाह हैं फरिश्ते जो आशीर्वाद देते हैं,
उन सबको जो तुम्हें डराते हैं।

सूरा लुकमान में एक कविता का दावा है कि —

यदि धरती पर उगे सभी पेड़ कलम होते और समुद्र
(सात और समुद्रों के साथ होता जो उसे भरते)
स्याही होता, तो अल्लाह के शब्दों का लिखना कभी
समाप्त नहीं हो सकता था।

यह संदेश पैगम्बर की दो पंक्तियों में समेटा जा सकता है, 'हम झूठ को सच्चाई से ढक देंगे, जब तक कि सच जीतता नहीं और झूठ मर नहीं जाता।'

संक्षेप में, पैगम्बर मुहम्मद को कुरान प्रकट करने के लिए 22 साल लग गए, जब तक कि वह 62 वर्ष की उम्र में 632 ईस्वी में मृत्यु को प्राप्त नहीं हो गए। यह दिन, पूरी दुनिया भर में कुरान मुसलमानों की कल्पना में आग लगाना जारी रखता है। इसका कारण तुम्हें अपने आप को बताना होगा।

अगस्त 1947 में विभाजन के बाद, जब लाखों मुसलमान अपने घर और भारत में अपनी जायदाद छोड़ कर पाकिस्तान जाने के लिए मजबूर कर दिए गए, मुसलमानों के विरुद्ध हिंदू-सिख दंगों में हज़ारों को कत्ल कर दिया गया और कईयों को शरणार्थी कैम्पों में शरण लेने को मजबूर होना पड़ा। मौलाना अब्दुल कलाम आज़ाद ने, जिन्होंने धर्म के आधार पर भारत के विभाजन के परिणामों को पहले ही देख लिया था, जामा मस्जिद की सीढ़ियों पर मोह-भंग की स्थिति में जकड़े मुसलमानों की एक विशाल भीड़ को सम्बोधित किया। जीवन भर जो चेतावनी वह बोल कर और लिख कर देते रहे, उस चेतावनी के शब्दों पर ध्यान न देने के लिए उन्होंने सभी मुसलमानों को सचेत किया। उन्होंने कहा, 'शायद आपको याद न हो कि इस सबके लिए मैंने तुम्हें बताया था, लेकिन तुमने मेरी ज़ुबान काट दी, जब मैंने अपनी कलम उठाई, तुमने मेरे हाथ काट दिए, जब मैंने तुम्हें सही राह दिखाने की कोशिश की तो तुमने मेरी टांगें तोड़ दीं और जैसे ही मैं मुड़ने लगा, तुमने मेरी पीठ पर प्रहार किया।'

1912 में कलकत्ता में पत्रकारिता और राजनीतिक जीवन की शुरुआत करने के समय से ही, कलाम का अपने साथी मुसलमानों के लिए उनका संदेश ठीक यही संदेश था। उन्होंने स्वतंत्रता आंदोलन से दूर रहने के लिए और ग़ैर-मुस्लिम लोगों को आगे रहने देने के लिए उन्हें बुरा-भला कहा। मुहम्मद अली जिन्ना ने उन्हें 'कांग्रेस के शो-ब्वॉय' का नाम दिया। हालांकि अधिकांश मुसलमानों ने मुस्लिम लीग की अलग मुस्लिम राज्य की मांग को पूरा समर्थन दिया, मौलाना भारतीय राष्ट्रीय कांग्रेस के कट्टर समर्थक बने रहे। जब महात्मा गांधी (अनिच्छा से) पंडित जवाहरलाल नेहरू और सरदार पटेल देश के विभाजन के

लिए सहमत थे, आज़ाद अकेले ही इसके विरोध में खड़े रहे। उन्हें अकेले रास्ते पर चलने की प्रेरणा कहां से मिली और उनमें अपनी इस बात पर अडिग रहने की हिम्मत कहां से आई कि वह सही थे? यह प्रेरणा उन्हें एक ही स्रोत कुरान से मिली थी।

आज़ाद मक्का में 11 नवम्बर, 1888 को पैदा हुए। उनके पिता एक भारतीय थे और माता एक अरबी। जिस भाषा से उनका सबसे पहले परिचय हुआ, वह थी कुरान की भाषा, अरबी। उनके पिता एक मुस्लिम धर्मशास्त्री थे और उम्मीद थी कि वह यही पेशा जारी रखेंगे। उनका परिवार वापस कलकत्ता चला आया जहां आजाद ने उर्दू और फारसी सीखी। वह नास्तिकवाद के एक छोटे से दौर से गुजरे, जब उन्होंने धर्म में कोई विश्वास नहीं जताया और ज़ाहिरा तौर पर वह भौतिक सुखों में लिप्त रहे। उसके बाद वह दुबारा इस्लाम धर्म की ओर मुड़ गए। अपने कैरियर की शुरुआत से ही उनका मानना था कि हर भारतीय मुसलमान का यह कर्तव्य है कि वह उपनिवेशवाद के खिलाफ़ संघर्ष में हिंदुओं का साथ दे। अभी वह बीस साल के ही थे, जब उन्होंने उर्दू साप्ताहिक, 'अल हिलाल' का प्रकाशन आरम्भ किया। जल्दी ही उनके इस साप्ताहिक पत्र की प्रसार संख्या 29000 तक जा पहुंची (उन दिनों एक पत्रिका के लिए आंकड़ों का कोई महत्त्व नहीं था)। हालांकि वह अधिकतर धर्म संबंधी विषयों पर ही लिखते थे, उनके राष्ट्रवादी विचारों से सरकार खुश नहीं थी और उसने पत्रिका पर प्रतिबंध लगा दिया। आजाद ने एक दूसरी पत्रिका, 'अल बलाग़ा' शुरू की। 1916 की शुरुआत में 'अल बलागा' के एक अंक में घोषणा की कि उन्होंने कुरान का उर्दू में तर्जुमा शुरू किया है, जिसके 'सूरा अल इमरान' तक के पहले तीन अध्याय वह कर चुके हैं और उम्मीद है कि वर्ष के अंत तक पूरी कुरान का तर्जुमा हो जाएगा।

लेकिन यह होना ही नहीं था। 3 मार्च, 1916 को, भारत के रक्षा-अधिनियम के तहत उन्हें कलकत्ता छोड़ने को मजबूर होना पड़ा। अधिकांश प्रांतीय सरकारों ने उन्हें 'राज्य' में प्रवेश की आज्ञा नहीं दी। उनके पास बाम्बे रेजिडेन्सी या बिहार के अलावा कोई विकल्प

नहीं था। उन्होंने बिहार को चुना, क्योंकि वह कलकत्ता के नज़दीक था और वह रांची में रहने लगे। उन्होंने कुरान का एक और अध्याय, 'सूरा अल निसा' पूरा किया, जब उनके विरुद्ध नज़रबंदी का आदेश पारित हो गया और उनके सभी काग़ज़ात ज़ब्त कर लिए गए। उन्होंने गवर्नर, लॉर्ड एस. पी. सिन्हा से अपील की। एक पखवाड़े के पश्चात उनके कागज़ात उन्हें वापस लौटा दिए गए। इससे सर चार्ल्स क्लीवलैन्ड का गुस्सा जाग उठा, जो उस समय सी.आई.डी. के प्रमुख थे। वह सीधे दिल्ली से रांची पहुंचे और उनके काग़ज़ात छानबीन के लिए ज़ब्त कर लिए। इस आशंका में कि उनमें कहीं भड़काऊ सामग्री तो शामिल नहीं। अपने काग़ज़ात वापस प्राप्त कर लेने की उम्मीद में आज़ाद ने अनुवाद और टिप्पणियों का कार्य जारी रखा और इसे 1918 में पूरा कर लिया। रिहा होने के बाद उन्होंने दरख़्वास्त की कि उनके काग़ज़ उन्हें लौटा दिए जाएं। एक लम्बे समय के बाद वे लौटा भी दिए गए, लेकिन इससे पहले कि वह उन्हें वापस क्रमवार व्यवस्थित कर पाते, उन्हें नवम्बर 1924 में तब दुबारा गिरफ़्तार कर लिया गया जब भारतीय राष्ट्रीय कांग्रेस को ग़ैर-क़ानूनी घोषित कर दिया गया। तीसरी बार उनके काग़ज़ पत्र ज़ब्त करके बोरों में ठूंस दिए गए। जेल में पंद्रह महीने बिताने के बाद उन्हें रिहा कर दिया गया। उन्हें जो काग़ज़ लौटाए गए, वे बिल्कुल भी ठीक हालत में नहीं थे। कुछ तो फट चुके थे और कुछ पन्ने नष्ट हो चुके थे। मौलाना इससे बहुत निराश हो गए और उन्होंने यह काम बंद कर दिया।

1927 में, उन्होंने नए सिरे से फिर शुरुआत की। उन्होंने 20 जुलाई 1930 को वह अनुवाद और टिप्पणियां पूरी कर लीं जब वे मेरठ जेल (अब उत्तर प्रदेश में) में क़ैद थे। तर्जुमान-अल-कुरान (कुरान का अनुवाद) के तीन खंडों का वजूद में आना, आजाद के दृढ़ निश्चय को प्रकट करता है।

कोई यह पूछ सकता है कि जब उर्दू, अंग्रेज़ी और संसार की अधिकांश भाषाओं में इस ग्रन्थ का अनुवाद कई बार हो चुका है तो अब इसके उर्दू अनुवाद में इतनी ज़िद्द की क्या आवश्यकता थी?

आज़ाद को लगता था कि मौजूदा अनुवाद कुरान के संदेश को ठीक से लोगों तक नहीं पहुंचाते और उनके द्वारा किए गए अनुवाद में गूढ़ शब्दों को भी अत्यंत सरल और स्पष्ट शब्दों में समझाया गया है ताकि अनपढ़ अरबी आदिवासी भी इसे आसानी से समझ सकें। यह तब हुआ जब पैगम्बर की पीढ़ी का अंत हो चुका था और इस्लाम धर्म ग़ैर-अरबी लोगों तक पहुंच चुका था। ग्रीक, ईरानी और बौद्ध धर्म की अवधारणाओं को कुरान की इस व्याख्या से रास्ता दिखाई दे गया। टिप्पणीकारों (तफ्सीर बिर्राई) के निजी विचारों ने सरल अरबी शब्दों के अर्थ भी बिगाड़ दिए। सूफियों ने भी इन शब्दों के पीछे कुछ 'छिपे हुए' अर्थ तलाशने की कोशिश की, जबकि कुरान में ऐसा कुछ 'छिपा हुआ' था ही नहीं। आज़ाद का मक़सद था कि 'कुरान की कुरान के ढंग (फजाकिर बिल कुरान) से ही व्याख्या की जाए।' वह शायद ही कभी इसमें प्रयोग हुए शब्दों की उत्पत्ति की व्याख्या से परे गए होंगे। उन्होंने अपने तर्कों के समर्थन में पैगम्बर (हदीस) से सम्बंधित परम्पराओं का हवाला देने में बहुत संकोच दिखाया। हालांकि आज़ाद उम्र में युवा थे और उन्हें यूरोपीय भाषाओं का बहुत कम ज्ञान था, फिर भी धर्म और दर्शन से संबंधित जानकारी प्राप्त करने के लिए वह जो भी पढ़ सकते थे, पढ़ते थे। अनिवार्य रूप से, मुस्लिम धर्म शास्त्रियों का उन पर गहरा प्रभाव था। सबसे अधिक प्रभाव इमाम मोहम्मद ग़ज़ाली (20 वीं शताब्दी) का था, जो, उनकी तरह ही, नास्तिकवाद के दौर से गुज़र कर, धर्म की राह पर मुड़े थे। ग़ज़ाली रहस्यवाद की ओर आकर्षित थे। आज़ाद, जो सूफी पृष्ठभूमि से थे, ने रहस्यवाद को कभी स्वीकार नहीं किया। फिर भी, वे कुछ सूफियों की प्रशंसा करते हैं, जैसे दरवेश सरमद, जिनको विधर्मी मानकर उलेमा उनकी निंदा करते थे और 1659 में औरंगजेब के हुक्म से उनका सिर कलम कर दिया गया था। सरमद का हरा गुम्बद जामा मस्जिद की सीढ़ियों के पूर्वी छोर पर है। यह उसी जगह के नज़दीक है, जहां मौलाना आज़ाद को दफनाया गया। सरमद के बारे में आजाद ने कहा है कि वह प्रेम की मीनार की उन ऊंचाइयों

पर खड़े हैं जहां से काबा और मंदिर की दीवारें उसके बराबर ही दिखाई देती हैं।

किन्हीं अकथनीय कारणों से, आज़ाद सर सैय्यद अहमद खान से बहुत प्रभावित थे, जो अलीगढ़ मुस्लिम यूनिवर्सिटी के संस्थापक थे और मुस्लिम अलगाववाद और स्वतंत्रता आंदोलन से अलगाव के सबसे पहले प्रचारक भी थे। जमालुद्दीन अफगानी और मोहम्मद अब्दुल शाह बली उल्लाह, जो दिल्ली के थे, अधिक रसूख़ के व्यक्ति थे, जिन्होंने मुस्लिम समुदाय के एक अखिल इस्लामिक संघ की स्थापना की। 1912 के आसपास आज़ाद ने लिखा – बहुसंख्यक और अल्पसंख्यक समस्या की जड़ बन चुके हैं...। भगवान की सत्ता में अस्सी लाख निष्ठा रखने वाले लोग (मुसलमान) भारत में मूर्ति उपासना करने वाले 220 लाख लोगों से डरे हुए हैं। आज़ाद को हिंदू भारत के साथ 'विश्वासपूर्ण साझेदारी' में बहुत विश्वास था।

इस बात पर ध्यान देना बहुत दिलचस्प है कि आज़ाद के समकालीन, कवि अल्लामा इकबाल, जो अपने मुस्लिम समाज के भविष्य के प्रति बहुत चिंतित थे और आजाद की तरह ही उन्होंने भी इस्लामिक सूत्रों से प्रेरणा ली, ने बहुत ही अलग रास्ते का चुनाव किया। 1905 और 1910 के दौरान दोनों ने ही विदेश यात्राएं कीं। इकबाल यूरोप चले गए। वह पश्चिमी संस्कृति के जीवन से बहुत प्रभावित थे और उस पतन के प्रति बहुत जागरूक थे जिसने इस्लामी दुनिया को अपने में जकड़ रखा था। उन्होंने अपनी कविता 'शिकवा' में इसका संकेत दिया है। हालांकि यह अल्लाह को संबोधित थीं, लेकिन यह मूर्ति भंजक विजेताओं के गौरवशाली इतिहास पर लिखी गई थी और इस्लामिक जोश से भरपूर थी। आज़ाद मुस्लिम देशों में गए जो यूरोप की औपनिवेशिक ताक़तों के ख़िलाफ़ संघर्ष कर रहे थे। उन्होंने महसूस किया कि इस्लाम को पुनर्जीवित करने की उम्मीद तभी की जा सकती है जब मुसलमानों में वह भावना जागृत हो, जो अल्लाह ने अपने अवतरण के माध्यम से पैगम्बर को सुपुर्द की थी। इकबाल इस्लाम के इतिहास से प्रेरित थे और आज़ाद कुरान और हज़रत मुहम्मद के जीवन से। इकबाल इस

नतीजे पर पहुंचे कि मुसलमान हिंदुओं से बिल्कुल अलग हैं और उनकी मुक्ति उनका अपना अलग राज्य बनाने में ही है। आज़ाद विभाजन के विचार को पूर्णरूप से नकारते थे और वह अलग मुस्लिम राज्य के सिद्धान्त को कुरान की शिक्षाओं के ख़िलाफ़ मानते थे।

आज़ाद द्वारा अनुवादित कुरान के तीन खंडों में पहला खंड जो आरम्भ (सूरा-दल-फतीहा) से संबंधित है, सबसे महत्वपूर्ण है। यह कुछ शब्दों को मिला कर बने सात वाक्यों की एक कविता है —

अल्लाह के नाम से, जो बड़ा कृपाशील,
बड़ा दयावान है सारी प्रशंसाएं अल्लाह
ही के लिए हैं, जो सारे जगत का प्रभु है
बड़ा कृपाशील, बड़ा दयावान है। न्याय के दिन का
मालिक है। हम तेरी ही बंदगी करते हैं
और तुझ ही से मदद मांगते हैं
हमें सीधे मार्ग पर चला, हे प्रभु!
इन लोगों के मार्ग पर जो तेरे कृपापात्र हुए,
जो न प्रकोप के भागी हुए और न पथभ्रष्ट।

इस अध्याय का वर्णन कुरान (उम-उल-कुरान) बहुत काफी (अल-काफिया); कोषागार (अल-कांज) के सार तत्त्व या मुख्य भाव के तौर पर किया जाता है। चूंकि यह कुरान का सबसे अधिक दोहराया गया हिस्सा है, कई आकाशवाणियों में से एक इसकी पुष्टि करती है — ओ नबी! यह सच है कि हमने सात बार दोहरायी गई कविता और महान कुरान का उपहार दिया है।'

नबी ने कभी यह दावा नहीं किया कि उन्होंने किसी नए धर्म की नींव रखी हैं, बल्कि वे तो केवल उन लोगों को सीधी राह पर वापस लाए हैं, जो आत्मवाद में एक देवता की पूजा, पूर्वजों की पूजा, चिह्नवाद और मूर्तिपूजा में भटक गए थे। ईश्वर के सबसे अधिक इस्तेमाल में लाए गए दो नाम, अल्लाह और रब्ब, इस्लाम से पहले के

हैं। 'अल्लाह' शब्द का इस्तेमाल ब्रह्मांड और इसके निर्माता के लिए विस्मयबोधक के रूप में होता हैः ईश्वर की जय हो! यही अर्थ सिखों के 'वाहे गुरु' शब्द का है। रब्ब मिस्र भाषा का शब्द है जिसका अर्थ है पालनकर्ता। (अल-रज़्ज़ाक) के साथ-साथ शिक्षा प्रदान करने वाला, मालिक और प्रभु भी है। कुरान की शुरुआत अल्लाह (बिस्मिल्लाह) की हामद (प्रशंसा) से होती है और इसकी दो विशेषताएं हैं – परोपकार (अल-रहमान) और दमा (अल-रहीम)। फिर वह ब्रह्मांड के पालनकर्ता और रचयिता के रूप में अपने गुणों पर ज़ोर देता है।

मौलाना आज़ाद ध्यान दिलाते हैं कि जीवन की सबसे महत्वपूर्ण वस्तुएं, वायु, जल और पृथ्वी (अन्न प्रदान करने के लिए) ईश्वर द्वारा प्रचुर मात्रा में दिए गए मुफ्त उपहार हैं। कुरान इस तथ्य पर ज़ोर देता है – 'हमने पर्याप्त मात्रा में स्वर्ग से पानी बरसाया और पृथ्वी पर बने रहने का कारण पैदा किया। हमें इसे वापस ले लेने की शक्ति भी प्राप्त है। इससे हमने, ताड़ और बेल के पौधे लगाए और हमने इसे भावनाओं के हरेपन से सींचा ताकि मानवजाति इसके फलों को खाकर जीवित रह सके।' – और यहां अन्य कोई भी वस्तु नहीं है, लेकिन... इसके भंडारगृह हैं, जो हमने सिर्फ जीवन के उपायों के रूप में भेजे हैं। ईश्वर देता भी है और ले भी लेता है – जन्म, विकास, क्षय और मृत्यु उसकी के द्वारा नियत हैं। कुरान कहता है – 'ईश्वर ने ही तुममें कमज़ोरी पैदा की है और ईश्वर ने ही तुम्हें शक्ति प्रदान की है और ताक़त के बाद बुढ़ापे के रूप में कमज़ोरी और सफ़ेद बालों की अवस्था भी बनाई है।'

आज़ाद रचना (संसार की रचना करने) के मकसद पर हिंदू और इस्लामिक विचारों में अंतर बताते हैं। हिंदुओं का विश्वास है कि ब्रह्माण्ड की रचना भगवान की एक लीला (खेल) है और अवास्तविक है। इस्लाम संसार की रचना के पीछे एक विशेष उद्देश्य की बात करता है। कुरान कहता है – 'हमने ब्रह्माण्ड को एक गम्भीर उद्देश्य के लिए पैदा किया है।' आज़ाद ईश्वर के अस्तित्व के लिए तर्क देते हैं – मानवीय स्वभाव इसमें विश्वास ही नहीं कर सकता है कि किसी

अदाकार के बिना भी कोई अभिनय हो सकता है, निर्देशक के बिना भी कोई आदेश दिया जा सकता है, किसी योजनाकार के बिना भी कोई योजना बनाई जा सकती है, किसी भवन निर्माता के बिना भी भवन का निर्माण किया जा सकता है या किसी डिज़ाइनर के बिना भी डिज़ाइन बनाया जा सकता है।

आज़ाद कहते हैं कि अल्लाह के अस्तित्व के प्रमाण उन सबके सामने मौजूद हैं, जो उन्हें देखने की इच्छा रखते हैं। वह कुरान का हवाला देकर कहते हैं — 'मनुष्य अपने भोजन के बारे में ही सोचे। यह ईश्वर ही है जिसने प्रचुर मात्रा में वर्षा की, पृथ्वी को जीवन दिया और जीवन के लिए अन्न पैदा किया, अंगूर और रोगनाशक जड़ी-बूटियां बनाईं, फल और कंदमूल बनाए... यह रूप बनाया सिर्फ तुम्हारी और तुम्हारे पशुओं की सेवा के लिए...।'

ईश्वर ने हमें जन्म और जीविका क्यों दिए? आज़ाद इस का उत्तर देते हुए एक प्रश्न भी पूछते हैं — 'प्रकृति जिस वस्तु को आकार देने में एक लम्बा समय लगाती है, क्या उस सचेत व्यवस्था का अर्थ मात्र यही है कि धरती पर कुछ समय रहे, खाया-पीया और हमेशा के लिए समाप्त हो गए? मात्र यही अर्थ है क्या?

अल्लाह की एक महत्वपूर्ण विशेषता है 'अदालत' — यानी न्याय। मौलाना आज़ाद इस बात पर ज़ोर देते हैं कि दिव्य न्याय ईश्वर की इच्छा पर निर्भर नहीं है। वह तो कारण कार्य संबंध पर आधारित है — आप जो बोते हैं, वही काटते हैं। 'जो कोई भी अच्छा कार्य करता है, वह अपने लिए ही करता है और जो कोई बुरा काम करता है, उसका परिणाम भी उसे ही भुगतना होता है। ईश्वर अपने भक्तों या अनुयायियों के साथ कभी कुछ ग़लत नहीं करता', कुरान इसका समर्थन करता है।

'एकेश्वरवाद' के मुद्दे पर आज़ाद अन्य धर्मशास्त्रियों से बिल्कुल अलग विचार रखते हैं। वह मानते हैं कि सर्वशक्तिमान ईश्वर कोई लगातार विकास करने वाली प्रक्रिया नहीं है, बल्कि यह उस एक शक्ति के पुनरुत्थान की प्रक्रिया है, जिसके साथ इस दुनिया की शुरुआत

हुई। 'मानव जाति में पहले केवल एक ही धर्म होता था, उसके बाद वह कई धर्मों में बंट गया', कुरान कहता है। आज़ाद का यह भी विश्वास है कि यहूदियों और ईसाइयों की तुलना में इस्लाम कहीं अधिक उन्नत है क्योंकि यहूदी लोग 'ईश्वर' को कुछ गिने चुने लोगों का 'आदिवासी ईश्वर' मानते हैं जबकि ईसाई उसे मानवीय बताते हुए यीशु मसीह को 'ईश्वर-पुत्र' मानते हैं। ईश्वर को परिभाषित करने से इनकार करते हुए कुरान, उपनिषदों के कहीं ज़्यादा नज़दीक दिखाई देता है (नेति-नेति... यह नहीं, यह नहीं) बल्कि कुरान ईश्वर को रचनात्मकता, पूर्व दृष्टि, न्याय, दया और कई अन्य विशेषताओं का भंडार मानते हुए कहीं ज़्यादा सकारात्मक रवैया अपनाता है। नबी ने हर संभव कोशिश की है कि वह अपने आपको ईश्वर का अवतार बताने से बचें। जब उनका इंतकाल हुआ तो उनके ससुर, जो पहले ख़लीफ़ा थे, ने लोगों को संबोधित करते हुए कहा, 'मुहम्मद का पुजारी मर गया है और वह जिसने ईश्वर को पूजा, उसे यह जानना चाहिए कि ईश्वर कभी नहीं मरता।' पूजा के एकमात्र उद्देश्य के रूप में भगवान को महत्त्व देते हुए, कुरान विशेष रूप से 'एक ईश्वर' की प्रभुसत्ता को सांझा करने की बात को नकारता है।

ब्रह्मांड का यह एक नियम है कि हमें (पूरी मानव जाति) ऐसा मार्गदर्शन (हिदायत) चाहिए, जो हमें सीधी राह पर चलाने के लिए हमारा नेतृत्व करे। उन लोगों के मार्ग पर जो धर्म के साथ हैं और जो बुराई करने वाले न हों।

⤜⟐⟐⤛

यह उनका भगवान के 'एकत्व' और कुरान में बताए गए मानव जाति के भाईचारे में दृढ़ विश्वास था, जिसने मौलाना आज़ाद को धार्मिक मतभेद के आधार पर अलग-अलग राज्यों की अवधारणा के ख़िलाफ़ जाने को मजबूर किया। 'आपकी कोई भी नस्ल हो, कोई भी मातृभूमि; कोई भी राष्ट्रीयता और जीवन की कैसी भी परिस्थितियां या

गतिविधियों का कोई भी क्षेत्र हो, यदि आप सिर्फ 'एक' ही भगवान की सेवा करने का संकल्प लेंगे तो इन सब का प्रभाव समाप्त हो जाएगा। आपके दिल एक दूसरे से मिले रहेंगे। आपको लगेगा कि पूरी दुनिया ही आपका घर है और समूची मानव-जाति एक है और आप एक ही परिवार का निर्माण करते हैं — अयाल अल्लाह — ईश्वर का परिवार।'

4

मुस्लिम विरोधी पूर्वाग्रह

...इस्लाम अन्य धर्मों की तुलना में क्या करना है और क्या नहीं करना है, के संबंध मे अधिक सख़्त है। यह कठोर हठीलेपन का आभास देता है जबकि कट्टरता के रूप में ऐसा नहीं है। इस मायने में, सिख, मुसलमानों से कम कट्टर नहीं हैं।

पूर्वाग्रहों की कोई वास्तविकता या न्यायसंगतता नहीं होती। इसलिए इस पर काबू पाना बहुत मुश्किल होता है। सबसे बड़े पैमाने पर जो पूर्वाग्रह फैले हुए हैं वे हैं धार्मिक और नैतिक पूर्वाग्रह। ये हमारी जातीय समस्याओं की जड़ हैं। आपको सबसे पहले लोगों को यह स्वीकार करने के लिए तैयार करना पड़ेगा कि वे क्या हैं और फिर उन्हें इस उम्मीद में यह तर्कसंगत उत्तर देना पड़ेगा कि उसके बाद उनके पूर्वाग्रह खत्म हो जाएंगे। मैंने अधिकांश धर्मों का अध्ययन कर लेने के बाद, उनसे मुंह मोड़ लिया। मैं इस नतीजे पर पहुंचा कि धार्मिक पूर्वाग्रहों ने मानव जाति का भला करने के बजाय बुरा ज़्यादा किया है। मैं

अहिंसा को परम धर्म (प्राथमिक दायित्व) मानता हूं। किसी को दुःख न पहुंचाने के लिए, किसी धार्मिक विश्वास से संबंध रखना ज़रूरी नहीं है। शेष सब महत्त्वहीन है।

वर्षों पहले, दक्षिण भारत में किसी कॉलेज में पढ़ाने वाली एक शिक्षिका ने एक प्रयोग किया था। उसने महसूस किया कि उनके कुछ हिंदू छात्र, मुसलमानों के लिए बहुत अधिक पूर्वाग्रह रखते हैं। उन्होंने उन्हें लिखित रूप में समझाने को कहा, ताकि इस पर खुलकर कक्षा में बात की जा सके। छात्रों के विचार लिखित में प्राप्त कर लेने के बाद, शिक्षिका ने एक बहस छेड़ दी। इस संबंध में मेरे उत्तर इस तरह हैं –

पहला पूर्वाग्रह – मुस्लिम कई पत्नियां रख सकते हैं जिसके परिणाम स्वरूप उनके परिवार बहुत बड़े होते हैं। यदि वे बहुविवाह में लगे रहे और इसी रफ़्तार से बच्चे पैदा करते रहे तो जल्दी ही वे हिंदुओं की जनसंख्या के आंकड़े को पार कर जाएंगे और भारत को मुस्लिम राज्य बना डालेंगे।

उत्तर – मुस्लिम पुरुष निश्चित रूप से चार पत्नियां रखने के हक़दार हैं, लेकिन शायद ही वे इस अधिकार का प्रयोग कर पाते हैं। बशर्ते कि उनकी पत्नियां बांझ, शारीरिक या मानसिक रूप से कमज़ोर न हों। दूसरी ओर, हिंदू पुरुष, हालांकि क़ानूनी रूप से वे एक से अधिक पत्नियां नहीं रख सकते, भी एक से अधिक पत्नियां रखते हैं। मुसलमानों के परिवार हिंदुओं, ईसाईयों और सिखों के परिवारों से बड़े नहीं होते। सर्वे से यह कई बार सिद्ध हो चुका है, जो यह दिखाता है कि सिखों और ईसाईयों की जन्म दर मुसलमानों के मुक़ाबले कहीं ज़्यादा है। कुछ साल पहले, मैंने लोकसभा और राज्य सभा सदस्यों के नाम उनके परिवार के आकार के अनुसार प्रकाशित किए थे। धर्म के आधार पर उनके यहां बच्चों की जन्म दर में कोई अंतर नहीं था। मुझे याद है कि भारत के भूतपूर्व राष्ट्रपति श्री वी.वी. गिरी के ग्यारह बच्चे

थे और भूतपूर्व रेलमंत्री लालू प्रसाद यादव जो बिहार के मुख्यमंत्री भी रह चुके हैं, की नौ संतानें हैं। यह सूची अंतहीन हो सकती है।

दूसरा पूर्वाग्रह – मुसलमान लोग कट्टर होते हैं, जो अपना धर्म दूसरों पर लादने की कोशिश करते हैं।
उत्तर – इस्लाम अन्य धर्मों की तुलना में क्या करना है और क्या नहीं करना है, के संबंध मे अधिक सख्त है। यह कठोर हठीलेपन का आभास देता है जबकि कट्टरता के रूप में ऐसा नहीं है। इस मायने में, सिख, मुसलमानों से कम कट्टर नहीं हैं। यदि कश्मीर में मुसलमान औरतों पर परदा थोपने की कोशिश करते हैं तो सिख कट्टरवादी भी पंजाब में हिंदू और सिख औरतों पर 'ड्रेस-कोड' लादने का प्रयास करते हैं। संकीर्णतावाद के संबंधित रूपों में चुनाव करना आसान नहीं है। कोई भी समुदाय दूसरों पर अपना धर्म लाद नहीं सकता। आजतक धर्मांतरण के जितने भी मामले सामने आए हैं, उनमें दलितों को ही बेहतर जीवन का लालच दिखाया जाता है। यह अनुसूचित जाति और आदिवासियों के इस्लाम और ईसाई धर्म में धर्मांतरण को दर्शाता है।

तीसरा पूर्वाग्रह – मुसलमान लोग दूसरे धर्मों के धार्मिक पूजा-स्थलों के प्रति कोई आदरभाव नहीं दिखाते। वे हिंदुओं और सिखों के मंदिरों को अपवित्र कर देते हैं।
उत्तर – मुस्लिम विजेताओं द्वारा हिंदुओं और सिख मंदिरों को अपवित्र करने के ऐतिहासिक प्रमाण मिलते हैं। फिर भी, हिंदुओं और सिखों ने भी, जब उन्हें मौका मिला, मस्जिदों को अपवित्र करने का अवसर हाथ से छोड़ा नहीं। एक दूसरे के धर्म-स्थलों को अपवित्र करने की यह होड़ आजादी मिलने के साथ ही लगभग समाप्त सी हो गई। तब से लेकर अब तक शायद ही एक दूसरे के धर्मस्थलों को नुक़सान पहुंचाया गया हो। यह हिंदुओं का एक वर्ग ही है जो वाराणसी और वृंदावन (दोनों उत्तर-प्रदेश में हैं) में मस्जिदों के विध्वंस की बात कह

कर सदियों पुराना हिसाब चुकता करने की बात करता है। और फिर 6 दिसम्बर 1992 को हिंदू कट्टरपंथियों द्वारा अयोध्या (यह भी उत्तर प्रदेश में है) में बाबरी मस्जिद के गिराए जाने की घटना को कौन भूल सकता है?

इसके साथ, हमें यह नहीं भूलना चाहिए कि दुनिया भर में हर तरफ़ सभी धार्मिक पद्धतियों ने हिंसा और शहादत की सनक को पैदा किया है। मुझे डेविड कुरैशी का ध्यान आता है, जो डेविडियन ब्रांच ऑफ़ द सेवन्थ डे एडलेंटिस्ट चर्च का एक नेता था। उसने अपने हैडक्वॉटर को आग के हवाले करने से कई दिन पहले पुलिस को भी ललकारा था और कई पुरुषों, स्त्रियों और बच्चों को मार दिया था।

आज मैं ठीक-ठीक संख्या तो नहीं बता सकता, लेकिन एक समय, अमरीका में 2500 से भी अधिक धार्मिक सम्प्रदाय मौजूद थे, जिनमें से 900 से ज़्यादा महायुद्ध (आर्मागेडन) या न्याय के दिन (द डे ऑफ़ जजमेंट) में विश्वास रखते थे। इनमें सबसे बड़ा धार्मिक संगठन था, चर्च युनिवर्सल एंड ट्राइम्फन्ट। इस संगठन को एक औरत, एलिजाबेथ क्लेयर प्रॉफेट चलाती थी। उसके और उसके पति और संगठन के उपाध्यक्ष के पास 5000 सदस्य थे जिनके पास हथियारों का भारी ज़खीरा मौजूद था। संगठन के मुख्यालय पर पुलिस की कार्यवाही के दौरान सात ऑटोमैटिक राइफलें और 120000 राऊन्ड गोला-बारूद ज़ब्त किया गया था।

कुरैशी से भी अनोखा मामला गुआना के जिम जोंस का था। नवम्बर 1978 में उसने अपने 900 अनुयायियों, जिसमें स्त्रियां और बच्चे भी शामिल थे, को आत्महत्या करने के लिए उकसाया था।

यह सच है कि इस्लाम में ईसाई धर्म से अधिक पंथ पैदा हुए। इनमें मुस्लिम ब्रदरहुड जैसे कई पंथ हैं जो हिंसा के लिए प्रतिबद्ध हैं। वे मस्जिदों के पवित्र परिसरों में भी खून बहाने से नहीं हिचकिचाते। 1979 में 200 से अधिक तीर्थयात्रियों को काबा में मार दिया गया था। इसी वर्ष, नवम्बर में मुहम्मद अली कुरैशी के शिया समर्थकों ने मक्का की महान मस्जिद पर कब्ज़ा कर लिया था और अपने नेता

को 'माहदी'** घोषित कर दिया। टैंकों से सुसज्जित सऊदी अरब की सेना को मस्जिद से अवैध कब्ज़ा हटाने में पूरे पांच दिन लग गए थे, जिसमें कुछ शिया समर्थक मारे गए थे। कुछ वर्ष पहले, पाकिस्तान में एक युवा स्त्री ने अपने अनुयायियों को ईराक में कर्बला की तीर्थ यात्रा पर समुद्र द्वारा ले जाने का फैसला किया। उनमें से चालीस से अधिक अनुयायी कराची से दूर समुद्र में डूब कर मर गए थे। सलमान रुशदी ने इस दर्दनाक हादसे का वर्णन अपनी पुस्तक 'द सैटानिक वर्सेज' (1988) में किया है।

हमारे भारत में भी हिंसक कट्टरवादियों की जमात मिलती है। यह महज एक संयोग नहीं है कि इन संप्रदायों के नेता बीमार मानसिकता वाले पुरुष या स्त्रियां हैं, लेकिन उनमें भाषण देने की या अपने समर्थकों को प्रभावित करने की अद्भुत शक्ति होती है। 1980 की शुरुआत में पंजाब में, जरनैल सिंह भिंडरांवाला ने अपने विरोधियों को ख़त्म कर देने के आदेश दिए थे। वह और उनके साथी आतंकवादी, अमृतसर में 'स्वर्ण मंदिर' में छिपे हुए थे। 1984 के आरम्भिक दिनों में, भारतीय फौजों को गुरुद्वारे को खाली कराने के लिए उसके अंदर जाना पड़ा था और आगे चल कर आतंकवादियों से हुई लड़ाई में पवित्र अकाल तख्त (अध्याय एक भी देखें) को भारी नुक़सान पहुंचा था। भिंडरांवाला खुद भी इस लड़ाई में मारा गया था। 1980 के दशक में, पंजाब, हरियाणा और दिल्ली में हज़ारों लोगों को जान गंवानी पड़ी थी।

हिंदुओं में भी धार्मिक कट्टरता का कुरूप चेहरा मिलता है, जिन्हें आमतौर पर 'शांति-प्रिय और सहनशील' माना जाता है। इस मिथक की दिसम्बर 1992 में अयोध्या में और 2002 में गुजरात दंगों में, धज्जियां उड़ाई गई थीं, जब मुसलमान उग्र हिन्दू भीड़ का निशाना बने थे। इस मिथक के अवशेष भी ध्वस्त हो जाएंगे, जब दक्षिण

---

* शिया मुसलमान मुहम्मद इब्न अल-हसन अल-माहदी को मानव जाति का एक परम रक्षक मानते हैं, जिनका जन्म 869 ईस्वी में हुआ था, लेकिन ऐसा विश्वास है कि उनकी मृत्यु नहीं हुई थी, बल्कि उन्हें ईश्वर ने 941 में अपने पास छिपा लिया था।

पंथी कट्टरवादी हिन्दू समुदाय के नेतृत्व को हथिया लेंगे। इसलिए, धर्म से सावधान!

चौथा पूर्वाग्रह — मुसलमान लोग भारत के प्रति निष्ठावान नहीं हैं, क्योंकि वे अपने दिल में पाकिस्तान-समर्थक भावनाएं रखते हैं।

उत्तर — 1947-48 के दौरान, बहुत बड़ी संख्या में लोग भारत से पाकिस्तान स्थानांतरित हुए थे। कुछ अपनी इच्छा से और कुछ भारत छोड़ने के लिए मजबूर किए गए, क्योंकि तब मुस्लिम-विरोधी हिंसा हर तरफ़ फैल चुकी थी। कई परिवारों का बंटवारा हो गया था। न तो अपने बिछुड़े हुए नाते-रिश्तेदारों से, सीमा पार जाकर उनसे मिलने की इच्छा को देशद्रोह माना जा सकता है, न ही भारत के विरुद्ध क्रिकेट मैचों में भारतीय मुसलमानों द्वारा पाकिस्तानी क्रिकेटरों की तारीफ़ करने को। भारत-पाकिस्तान के बीच हुए युद्धों में भी मुसलमानों की देशद्रोहिता का कोई प्रमाण नहीं मिलता। सच्चाई तो यह है कि पाकिस्तान के ख़िलाफ भारत के लिए लड़ते हुए कई मुसलमानों ने अपनी जानें न्योछावर की हैं।

5

रमज़ान के व्रत की विशेषताएं

...तीन ईदों में ईद-उल-जुहा या बकरी-ईद (कुरबानी की ईद), ईद-ए-मिलाद-उन-नबी (नबी का जन्म दिन) रमजान के महीने की समाप्ति के अगले महीने, शैवाल की पहली तारीख़ को पड़ने वाली ईद, जिसे 'ईद-उल-फितर' कहा जाता है, सबसे शुभ मानी जाती है।

मैं इस सम्बन्ध में ज़्यादा कुछ नहीं जानता हूं कि मुसलमान रमज़ान के दिनों में व्रत क्यों रखते हैं। अतः मैंने अपने मुस्लिम दोस्तों से पूछताछ की तथा अपनी लाइब्रेरी में इस विषय पर उपलब्ध सारी सामग्री पढ़ डाली। मैं यह अध्याय अपने ग़ैर-मुस्लिम पाठकों के लिए इस विश्वास से लिख रहा हूं ताकि हमारे साथी नागरिकों की आस्था के बारे में ज्ञान मिलने से हमारे बीच बेहतर तालमेल पैदा हो।

मुस्लिम कैलेंडर के सभी महीनों में, केवल रमज़ान या रमदान का महीना आनन्ददायक माना गया है – जिसे भारत में 'शरीफ़', व अरब में 'मुबारक़' कहा जाता है। इस महीने व्रत रखने की प्रथा को नमाज़

(प्रार्थना) के बाद इस्लाम धर्म का दूसरा सबसे महत्वपूर्ण स्तम्भ माना गया है – अन्य दो हैं ज़कात (दान) और हज (तीर्थयात्रा)। यह महीना दस दिनों की अवधि (अश्र) के तीन हिस्सों में बांटा गया है। पहला रहमत (करुणा) को समर्पित है, दूसरा माफ़रात (क्षमादान) व तीसरा नर्क़ में भेजे जाने के ख़िलाफ़ बग़ावत।

लीलत-उल-क़द्र, फख्र की रात, सबसे महत्वपूर्ण रात है, जो चंद्र-मास के आख़िरी दस दिनों में पड़ती है। ऐसी मान्यता है कि साधारणतया यह 27 वां दिन होता है। हदीस के अनुसार, फरिश्ते सभी नेक कर्मों का प्रतिफल देते हैं, व्रत पुण्यफल अल्लाह स्वयं देते हैं। हमारे शरीर को उत्सव विशेष के अवसर पर रखे जाने वाले व्रत से होने वाले फायदे के अतिरिक्त, रमज़ान का वास्तविक उद्देश्य लोगों को, अभावग्रस्त गरीबों की पीड़ा को महसूस कराने के लिए, भूख-प्यास का निजी तौर पर अनुभव कराना होता है। व्रत शरीर में इकट्ठा हुए विषैले तत्त्वों को भी साफ़ करता है तथा अभावग्रस्त लोगों की पीड़ा के प्रति उदासीन लोगों की आत्मा को साफ़ करता है।

प्रचलित धारणा के विपरीत, व्रत सूर्योदय के साथ शुरू नहीं होता बल्कि उससे पहले ही जब पूर्व दिशा में आकाश स्लेटी होने लगता है, तभी शुरू हो जाता है। एक सही घड़ी खाने या पीने के समय रख ली जाती है, नियत समय में एक मिनट की देरी भी व्रत को अमान्य कर देती है। व्रत सूर्य के डूबने पर पूरा होता है, हल्के फल व मेवे लेकर व्रत तोड़ा जाता है जिसे इफ़्तारी कहा जाता है। आजकल, कई राजनीतिक नेताओं द्वारा बड़े पैमाने पर इफ़्तार की पार्टी दी जाती है जिससे वे राजनीतिक फायदा उठाते हैं जो कि पवित्र धार्मिक रीति-रिवाज़ों का दुरुपयोग है। तीनों ईदों में (खुशी का दिन) 'ईद-उल-जुहा' या 'बकरीद' (बलिदान की ईद), 'ईद-ए-मिलाद-उन-नबी' (पैगम्बर का जन्मदिन), रमदान के समाप्त होने के बाद अगले महीने, 'शवाल' का पहला दिन सबसे पवित्र मानते हैं, इसे 'ईद-उल-फितर' कहा जाता है।

व्रत रखने की प्रथा मुसलमानों से पहले यहूदी व काफिर, दोनों द्वारा चलन में थी। अरब में इसे 'तहन्नुथ' तप का महीना के रूप में

जाना जाता था। लोग इस महीने, संसार की बुराइयों से दूर रह कर, अपने कर्मों का ध्यान करते हुए सूर्योदय से सूर्यास्त तक व्रत अनुष्ठान करते हैं। मुहम्मद स्वयं यह पूरा महीना अपनी पत्नी खदीजा व सेवकों के साथ, मक्का से थोड़ी ही दूरी पर 'हिरा' पर्वत की गुफाओं में बिताते थे। इसी महीने के दौरान उस एक रात, जिसे 'लीलत-उल-कद्र' या फख्र की रात के नाम से जाना जाता है, उन्होंने खुद को 'ईकरा' पढ़ने का आदेश देते हुए फरिश्ते की आवाज़ सुनी। पैगम्बर ऐसा करने में समर्थ नहीं थे, क्योंकि वे पढ़े-लिखे नहीं थे। फरिश्ते ने यह आदेश तीन बार दोहराया, जिसे पैगम्बर ने अंत में पढ़ा। इस के साथ ही कुरान के अवतरण का सिलसिला आरम्भ हुआ –

पढ़ो
अपने रब्ब के नाम के साथ जिसने पैदा किया
इंसान को, जमे हुए खून के एक लोथड़े से
पढ़ो
कि तुम्हारा रब्ब बड़ा ही उदार है
जिसने कलम के द्वारा शिक्षा दी
मनुष्य को वह ज्ञान दिया
जिसे वह नहीं जानता था

कुरान में फ़ख्र की रात के संबंध में एक अन्य प्रसंग है –

हमने इस संदेश को
कद्र की रात में अवतरित किया
और तुम्हें क्या मालूम कि कद्र की रात क्या है?
कद्र की रात बेहतर है हजार महीनों से
उसमें फरिश्ते और रुह
हर महत्वपूर्ण मामले में उतरते हैं
अपने रब्ब की अनुमति से

वह रात पूर्णतः शान्त और सलामत है
उषाकाल के उदय होने तक

यह विश्वास किया जाता है कि यह इस आकाशवाणी के प्रकट होने के बाद हुआ, पैगम्बर ने अपने अनुयायियों से येरुशलम के बजाय मक्का की ओर मुंह करने को कहा, जब उन्होंने प्रार्थना की और शुक्रवार को सामूहिक प्रार्थना का दिन तय किया।

कई सालों के बाद, रमज़ान के महीने में ही ऐसा हुआ कि नबी (पैगम्बर) मुक्तिदाता के रूप में मदीना से मक्का आए। उनके दो अनुयायियों ने उनसे मतदान न करने के गुणों के बारे में प्रश्न किया, ''क्या यह 'रिज़ा' या आत्म-प्रताड़ना नहीं है?'' नबी ने उत्तर दिया, ''यह एक ढाल बन जाने तक शरीर और आत्मा को मज़बूत करता है। यह उनमें छेद हो जाने तक, बुराई से तुम्हारी रक्षा करता है।''

''और ये छेद बनते कैसे हैं?'' उनके अनुयायियों ने पूछा।

''झूठ और चुगली से'' नबी ने कहा।

शिया मुसलमानों के लिए रमज़ान का और भी महत्त्व है क्योंकि इसी महीने हज़रत अली (नबी के दामाद) को एक चोट लगी, जिसके तीन दिन बाद उनका इंतकाल हो गया। शिया मुसलमान तीन दिन का शोक मनाते हैं। ईद की नमाज़ों के बाद, एक संग्रह (फितरा) तैयार करके ग़रीबों और ज़रूरतमंदों में बांटा जाता है। मैं अपने सभी ग़ैर-मुस्लिम दोस्तों को यह सलाह देता हूं कि वे हमारे मुस्लिम भाइयों को 'ईद मुबारक' ज़रूर कहें।

6

सिख धर्म और आदि ग्रन्थ की सुंदरता

ग्रन्थ साहिब एक अद्‌भुत ऐतिहासिक दस्तावेज है। शायद यह अकेली ऐसी लिखित प्रकृति की रचना है, जिसमें बिना कुछ और जोड़े या उसमें बदलाव किए धर्मगुरुओं की मूल रचनाएं शामिल हैं। लोगों की याद्‌दाश्त के आधार पर इसमें दूसरे कवियों की साहित्यिक रचनाओं को भी शामिल किया गया है।

हर राष्ट्र के जीवन में एक ऐसा समय ज़रूर आता है जब स्वीकार्य मान्यताओं पर सवाल उठने शुरू होने लगते हैं। ऐसा अक्सर दूसरी मान्यताओं के, पहले से स्वीकृत मान्यताओं से मतभेद की वजह से होता है। इस मतभेद का नतीज़ा एक समझौता हो सकता है व दोनों व्यवस्थाओं में समान सिद्धान्तों से युक्त जीवन-संहिता की शुरुआत हो सकती है। कभी-कभी नई संहिता को ऐसे समर्थक मिल जाते हैं जो नई जीवन संहिता के प्रति वफादारी से बाध्य होकर, एक नए सम्प्रदाय को तैयार करने के लिए अपने मूल सम्प्रदाय से अलग हो जाते हैं।

सिखों का उदाहरण हमारे सामने है जिसमें नए सामाजिक मानदंडों के साथ नई सांप्रदायिक चेतना लिए एक समुदाय की शुरुआत हुई।

कई सदियों से भारत के लोग हिंदुत्व की अटलता के महत्त्व को स्वीकार करते आ रहे हैं। 780 ईस्वी से मुसलमानों ने उत्तर पर चढ़ाई शुरू कर दी। आक्रमणकारियों का धर्म व जीवन शैली हिन्दू धर्म के बिल्कुल विपरीत थी। उनका धर्म आचार-संहिता का सरल योग था, जो रोज़मर्रा की ज़िंदगी के मसलों से सीधे जुड़ा था। कुरान के एक बड़े हिस्से में ये हिदायतें दी गई हैं कि इंसान को क्या खाना-पीना चाहिए और क्या नहीं, वे कितनी पत्नियों से विवाह रचा सकता है, उनके साथ कैसा व्यवहार करना चाहिए व कैसे तलाक देना चाहिए। खुदा एक है, मोहम्मद उनका पैगम्बर है ऐसा विश्वास खुद में सरल व संक्षिप्त था। कुरान खुदा की वाणी है, जो मानव जाति के लिए एक क़ानून है। कुरान हिंदू 'सर्वेश्वरवाद' के उलट अल्लाह की 'एकात्मकता' (एकेश्वरवाद) पर ज़ोर देता है। इसने मूर्ति पूजकों के इस देश में मूर्ति-पूजा विरोधी को देवता माना। यह जाति भेद में जकड़े देश में लोगों की समानता के लिए खड़ा हुआ, इसने आदर्शवाद का प्रचार करने वाले देश में मांसाहार को स्वीकृति दी।

सात शताब्दियों तक इस्लाम और हिंदू धर्म में अपनी श्रेष्ठता साबित करने के लिए संघर्ष होता रहा। एक समय था, जब इस्लाम बेचैनी के साथ, हाथ में तलवार लिए तर्कों में उलझा रहा और हिन्दू धर्म, लचीलेपन की अपनी विशेषता के साथ अत्याचार झेलता रहा और अंततः उसने इस्लामी तलवार से बढ़त ले ली। पंद्रहवीं शताब्दी तक, भारत में कई लाख मुसलमान थे, लेकिन वे तब तक जातिगत भेदभाव का जायज़ा ले रहे थे, हिन्दू मंदिरों में जाते थे और हिन्दू रीति-रिवाज़ों और तीज़-त्योहारों में शामिल होते थे। इससे भी बढ़कर, उन्होंने धार्मिक सहनशीलता के सिद्धांतों को भी स्वीकार किया। दूसरी ओर, हिंदुओं ने खुद भगवान की अविभाज्यता के सिद्धान्त की श्रेष्ठता, जातिगत भेदभाव की बुराइयों और दूसरे नुक़सानदेय सामाजिक रीति-रिवाज़ों को स्वीकार किया। इसी समय, एक-सी आस्था की शिक्षा देने वाले

एक विद्यालय की शुरुआत के लिए मंच तैयार था, जिसमें दोनों धर्मों का इकट्ठा प्रचार किया जाता, जो इस्लाम और हिंदू धर्म के समान सिद्धांतों पर आधारित होता। यह भक्ति-दर्शन का विद्यालय था।

यूरोप में धार्मिक सुधार की तरह, भारत में भक्ति आंदोलन मूल रूप से धार्मिक हठधर्मिता, रस्मों-रिवाज़ों और अनुदारता के ख़िलाफ़ एक विरोध था। भक्ति दर्शन को सामने लाने वालों ने, जिनमें रामानंद, गोरखनाथ, चैतन्य, कबीर, तुलसीदास, वल्लभ और नामदेव शामिल हैं, सिखाया कि पूजा के तरीक़े और स्थान का महत्त्व बहुत कम है। मूल रूप से हिंदू और इस्लाम धर्म के मूल्य एक से ही हैं; सिर्फ नाम ही अलग-अलग हैं। उन्होंने भजनों की एक क़िस्म विकसित की, जिसकी शब्दावली, हिंदुओं और मुसलमानों, दोनों के पवित्र ग्रंथों से उदारतापूर्वक ली गई थी। इसमें एक सहजता थी, जिसने लोगों को अपनी ओर आकर्षित किया। इस आंदोलन में व्यक्तिगत नेतृत्व और मार्गदर्शन की कमी थी, जिसे सिख पंथ के संस्थापक, गुरु नानक (1469-1539) ने पूरा किया।

गुरु नानक, दूसरे भक्ति दार्शनिकों की तरह, एक धर्म सम्प्रदाय के बजाय, धार्मिक सहिष्णुता के विस्तार के लिए अधिक चिंतित थे। उनकी शिक्षाओं और उपदेशों ने पंजाब की किसान जनता के विचारों में आग लगा दी थी। नानक जी के जीवन काल के दौरान ही, उनके अनुयायियों की एक बड़ी संख्या उनके आस-पास इकट्ठा रहती थी।

पहले तो, वे उनके केवल शिष्यों के रूप में जाने जाते थे। कुछ समय बाद, ये शिष्य एक से हो गए, जिनका विश्वास खास तौर से नानक की शिक्षाएं थीं। 'शिष्य' अब ''सिख'' बन गए (संस्कृत के 'शिष्य' शब्द का बिगड़ा रूप)।

नानक एक शिक्षक बनना चाहते थे। उन्होंने कभी भी अपने देवता होने या ईश्वर से अपना संबंध होने का दावा नहीं किया। वह न तो भविष्यवाणी की आड़ लेकर अपना लेखन करते थे और न ही एक 'संदेश' की पवित्रता के साथ अपने शब्दों को सजाते थे। उनकी शिक्षाएं शब्द-जाल और धर्म में छल-कपट के ख़िलाफ धर्मयुद्ध थीं।

उनका जीवन, उनके द्वारा बोले गए शब्दों जैसे ही था। उन्होंने जो कुछ भी कहा, विशेष ही कहा, जैसा कि उनके भजन, पंजाबी भाषा में सबसे श्रेष्ठ हैं। उन्होंने जो कुछ भी किया विशेष ही किया, क्योंकि उनका जीवन उनकी श्रद्धा का एक उदाहरण था।

उन्होंने धार्मिक और जातिगत भेदभाव को ज़्यादा महत्त्व नहीं दिया और एक मुसलमान संगीतज्ञ और एक निम्न जाति के हिंदू को अपना साथी बनाया। उन्होंने हिंदू प्रथाओं, जैसे पवित्र नदियों में स्नान करने को महत्त्व देना, पवित्र जनेऊ धारण करने और अपने मृत पूर्वजों के नाम पर दान देने को उपहास योग्य माना। वह खुद तीर्थ स्थानों में गए और भक्तों के जल्दी-जल्दी श्लोक पढ़ने की व्यर्थता को प्रमाणित किया। इसी तरह, वह मुसलमानों के धार्मिक स्थलों की यात्रा पर गए और मौलाओं को फटकार लगाई जिन्होंने धर्म को व्यापार बना दिया था और कुरान की आज्ञाओं का उल्लंघन किया था। हिंदू और मुसलमानों को एक मंच पर लाना, उनकी व्यक्तिगत कोशिशों की सफलता थी। उन्हें दोनों ही समुदायों से सम्मान प्राप्त हुआ। उनकी मृत्यु पर, उनके मृत शरीर को पाने के लिए दोनों समुदाय खूब झगड़े। मुसलमान उन्हें दफनाना चाहते थे और हिंदू उनका दाह-संस्कार करना चाहते थे। आज भी, वह पंजाब में हिंदुओं और मुसलमानों में भाईचारे का प्रतीक माने जाते हैं। एक प्रसिद्ध कहावत उनका वर्णन करती है —

गुरु नानक फ़कीरों का फ़कीर
हिंदुओं के लिए गुरु,
मुसलमानों के लिए फ़कीर

अपनी पचास सालों की यात्राओं और शिक्षाओं से उन्होंने उन लोगों को भी आकर्षित किया, जो हिंदू धर्म या इस्लाम से सहमत नहीं थे (अध्याय-आठ भी देखें)। उन्होंने यह काम अपने उत्तराधिकारियों पर छोड़ दिया कि वे ऐसे लोगों को एक अलग स्वतंत्र सम्प्रदाय बनाने की ओर

प्रेरित करें, जिसकी अपनी भाषा और अपना साहित्य हो, अपने धार्मिक विश्वास और संस्थाएं हों और अपनी परम्पराएं व सम्मेलन हों।

❈❈❈❈❈

गुरु नानक के बाद सिख धर्म के नौ और गुरु हुए। उत्तराधिकारी तय करने का आधार होता था, एक ऐसे योग्य और समर्थ मार्गदर्शक को ढूंढना जो लोगों की रक्षा करने में समर्थ हो और गुरु नानक जो आध्यात्मिक विरासत अपने पीछे छोड़ गए हैं, उसका उत्तरोत्तर विकास करे। इसलिए दो शताब्दियों तक नेतृत्व के कार्यों में उल्लेखनीय निरंतरता थी। इन सालों में सिख धर्म धार्मिक दृष्टि से भरपूर रहा। इन्हीं दिनों, हिंदू राष्ट्रवाद की नई पौध राजनीतिक शक्ति पैदा करने में लग गई, जिससे एक सिख राज्य की स्थापना का रास्ता खुल गया। दस गुरुओं में से, दूसरे गुरु अंगद, चौथे गुरु रामदास, छठे गुरु हर गोबिन्द और दसवें गुरु गोबिंद सिंह ने मुख्य रूप से सांप्रदायिक चेतना को बढ़ावा दिया और सिखों को एक स्वतंत्र सम्प्रदाय के रूप में इकट्ठा किया।

1699 में हिंदुओं के नए साल के दिन (13 या 14 अप्रैल, यह लीप वर्ष पर निर्भर करता है) गुरु गोबिंद सिंह ने अपने अनुयायियों को बुलाया और पांच लोगों के साथ, जिन्हें 'पांच प्यारे' कहा जाता है, एक नई बिरादरी की शुरुआत की, जिसे उन्होंने 'खालसा' या 'शुद्ध' नाम दिया। इन पांच प्यारों में एक ब्राह्मण था, एक क्षत्रिय और तीन निचली जाति से संबंध रखते थे। उन्हें एक ही प्याले में पानी पीना होता था और उन्हें एक नया नाम दिया गया 'सिंह' (शेर)। उन्हें पांच 'क' धारण करने का आदेश था, जिसका उन्हें पालन करना होता था — अपने बालों के लिए 'कंघा', बिना कटे बाल और दाढ़ी (केश); पहनने के लिए 'कच्छा', कलाई में स्टील का 'कड़ा' और अपनी बगल में कृपाण। 'खालसा' लोगों को चार नियमों का पालन करना होता था। वे बाल नहीं कटा सकते, सिगरेट-तम्बाकू और अल्कोहल का सेवन नहीं कर सकते, हलाल मीट नहीं खा सकते और मुसलमानों के

साथ शारीरिक संबंध नहीं बना सकते। खालसा बनने की उम्र में प्रवेश करते ही युवक को कृपाण धारण करवा कर दीक्षा दी जाती है और उसके नाम के साथ 'सिंह' जुड़ जाता है। उसके बाद उसकी सिर्फ एक ही बिरादरी रह जाती है; खालसा बिरादरी।

गुरु गोबिंद सिंह के इन रूपों और प्रतीकों की शुरुआत करने के कारणों को पर्याप्त रूप से समझाया नहीं गया। न तो उन्होंने और न ही उनके समकालीनों ने इस विषय में अपने लेखन में कोई उल्लेख किया है। तथापि, उनमें से कुछ की ऐतिहासिक पृष्ठभूमि बहुत स्पष्ट है।

गुरु गोबिंद सिंह ने सिख धर्म का धार्मिक पहलू पूरा किया। उन्होंने अहितकर, शांतिवादियों के समूह को सशस्त्र योद्धाओं में बदल दिया (अध्याय 8 भी देखें) जिन्होंने उनके द्वारा आरम्भ रूपों और प्रतीकों को स्वीकार नहीं किया। वे सिर्फ सिख बने रहे, जिन्होंने आमतौर पर 'सहजधारी' कहा जाता है और जिन्होंने स्वीकार कर लिया, वे 'खालसा' कहलाने लगे। गुरु गोबिंद सिंह ने अपने चारों बेटों को मुस्लिम शासकों के विरुद्ध संघर्ष में गंवा दिया और गुरुओं के उत्तराधिकार की परम्परा ख़त्म कर दी। आध्यात्मिक मार्गदर्शन के लिए सिख 'आदि ग्रन्थ' को मानने लगे, जो अब से दस गुरुओं का प्रतीकात्मक प्रतिनिधत्व करता था। सिखों के समारोह और रीति-रिवाज़ हिंदुओं से अलग बनाए गए थे। इस तरह, सिखों का एक स्वतंत्र अस्तित्व के साथ एक नया समाज बन गया।

सिख धर्म

वैधानिक नियम के अनुसार, एक सिख का वर्णन इस प्रकार किया गया है, 'वह व्यक्ति जो दस गुरुओं और ग्रन्थ साहिब में विश्वास करता है' यह परिभाषा सम्पूर्ण नहीं है। यहां ऐसे लोग भी हैं जो स्वयं को सिख मानते हैं, लेकिन सभी दस गुरुओं में उनका विश्वास नहीं है। इनके अलावा अन्य भी हैं जिनका मानना है कि गुरुओं की श्रृंखला दस गुरुओं के बाद भी जारी है और वे जीवित गुरु के निर्देशों का पालन करते हैं।

इसी तरह, कुछ सिख ग्रन्थ साहिब के कुछ वाक्यों की सच्चाई को चुनौती देते हैं, जबकि दूसरे बाहरी लेखन को इसमें शामिल करने पर ज़ोर देते हैं। इन सिखों के अलावा और भी कई सिख मत हैं जो दूसरे गुरुओं के प्रति निष्ठा रखते हैं या यह दावा करते हैं कि उत्तराधिकारी का चुनाव करते समय असली गुरु को नज़रंदाज किया गया था। इन प्रतिकूल तत्त्वों के बावजूद, सुरक्षित रूप से यह दावा किया जा सकता है कि दस गुरुओं और ग्रन्थ साहिब का प्रामाणिक संस्करण सिख विश्वास का मुख्य आधार है और सिख सम्प्रदाय के अधिकांश लोगों का इसमें विश्वास है। सिख समुदाय का विभाजन साफ़ तौर पर परम्परावादी खालसा सिखों और दाढ़ी न रखने वाले सहजधारियों में ही है।

भगवान की अवधारणा

धर्मग्रन्थों में स्पष्ट रूप से कहा गया है कि सिख-धर्म, इस्लामी सूफी सिद्धान्तों और रहस्यवादी हिंदू दर्शन का मिश्रण है। यह भगवान की एकता में विश्वास सिखाता है और भगवान को सच के साथ जोड़ता है। सुबह की प्रार्थना जपजी, जिसका धार्मिक रस्मों के लिए एक परिचय के रूप में पाठ किया जाता है और जिसे मूल मंत्र के रूप में जाना जाता है, बताता है –

ईश्वर एक है
उसका नाम सच है
वह सृष्टि का रचयिता है
वह किसी से नहीं डरता
और वह घृणा रहित है
वह कभी नहीं मरता
वह जन्म और मृत्यु के चक्र से परे है
वह प्रबुद्ध 'स्व' है
उसे सत्‌गुरु की दया का एहसास है

उसकी आत्मा में ब्रह्माण्ड व्याप्त है
वह अजन्मा है, वह मरता नहीं,
दुबारा जन्म लेने के लिए
वह स्वयं विद्यमान है
गुरु की कृपा से, तू उसे पूज
काल से पहले भी, सच वहां था
जब समय ने अपनी गति से चलना
शुरू किया, वह सच था
अब भी, वह सच है
सच्चाई हमेशा बनी रहेगी?

(नानक)

दसवें गुरु, गोबिंद सिंह, एक क़दम आगे, दार्शनिक अंदाज़ में, 'अकाल पुरख' (शाश्वत) के रूप में भगवान का वर्णन करते हैं –

समय ही भगवान है
पहला और अंतिम
रचयिता और संहारक
शब्द उसका वर्णन कैसे कर सकते हैं?
भगवान का न रूप है, न सत्व
वह निराकार है
हालांकि वह मानवीय समझ से परे है
धर्म कर्म से रहने वाले उसकी
कृपा का आह्वान कर सकते हैं

सुबह की प्रार्थना, जपजी; की पहली कविता में गुरु नानक कहते हैं –

सिर्फ़ सोचने से
नहीं जाना जा सकता उसे
यद्यपि कोई एक लाख बार सोचे
पवित्र गम्भीरता में नहीं
न ही गहन चिंतन में
हालांकि जहां पुण्य बहुत होता है,
उपवास भी वहीं होता है
नहीं! इनमें से कोई भी नहीं
न ही एक लाख तरीकों से
ईश्वर तक पहुंचा जा सकता है
तब सच को कैसे जाना जाएगा?
झूठे भ्रम का परदा कैसे फटेगा?
ओ नानक, इस प्रकार दिव्य आदेश दो

सिख धर्म में साफ़ तौर पर मूर्ति-पूजा और प्रतीकों के रूप में देवताओं को प्रस्तुत करने की मनाही है

जो लोग अजीब देवताओं की पूजा करते हैं
उनके जीवन श्राप ग्रस्त होंगे
और उनके घर भी उनका भोजन,
भोजन का हरेक निवाला ज़हरीला हो जाएगा
उनके वस्त्र भी ज़हरीले हो जाएंगे
उनके जीते जी, उनके लिए दुःख है
और उनके मरने के बाद नरक

(तीसरे गुरु, अमर दास)

कुछ लोग पत्थरों को पूजते हैं और उन्हें सिर पर रखते हैं (मान-स्वरूप) कुछ लोग लिंग* — धर्म प्रतीक के रूप में अपने गले के हार में पहनते हैं। कुछ लोग अपने ईश्वर को दक्षिण में पाते हैं और कुछ पश्चिम में माथा नवाते हैं, कुछ लोग मूर्तियों को पूजते हैं और कुछ मृतकों की पूजा में लगे रहते हैं। इस तरह, यह संसार झूठी रीतियों में बंधा है और ईश्वर का रहस्य, अभी भी अबूझ है।

(दसवें गुरु, गोबिंद सिंह)

गुरु नानक ने, जब वह एक हिंदू मंदिर में शाम की आरती में हिस्सा ले रहे थे, जहां दीपक और धूप से भरी थाली को मूर्ति के सामने घुमाया जाता है और उसके बाद वह सारी रात के लिए रख दी जाती है, यह कविता रची —

आकाश तुम्हारा थाल है
और सूर्य और चांद तुम्हारे दीये
सितारों की आकाशगंगा
बिखरी है मोतियों के जैसी
चंदन की लकड़ी तुम्हारी अगरबत्ती है
जंगल तुम्हारे फूल
लेकिन यह कैसी पूजा है
ओ, डर दूर भगाने वाले!

---

* पाठक इसे अन्यथा न लें इसलिए बता दें कि यहां लेखक का इशारा 'शिवलिंग' की तरफ है।

गुरु या शिक्षक

भगवान के अमूर्त होने के कारण, एक व्यक्ति या किसी वस्तु के द्वारा धार्मिकता की, एक ठोस इकाई से ज़्यादा, एक भावना के रूप में कल्पना की जाती है। भक्ति या मुक्ति पाने का तरीका, भगवान की इच्छा का पालन करने के लिए होता है। अन्य धार्मिक प्रणालियों में, भगवान की इच्छा जानने के तरीके अस्पष्ट और इंसानी सोच के अधीन हैं। वे अधिकतर नैतिक व्यवहार के नियम हैं, जो मानव समाज का आधार हैं। सिख धर्म, मार्गदर्शन के लिए मनुष्य और धर्म के आपसी संबंधों की वकालत करता है। इसलिए, गुरु और शिष्य के संबंध को महत्त्व देता है।

◈◈◈◈◈◈◈

सिख, ईश्वर के अवतार के रूप में किसी व्यक्ति की पूजा नहीं करते। गुरुओं ने बार-बार यह दोहराया है कि वे दूसरे मनुष्यों की तरह ही मनुष्य हैं और इसलिए पूजे जाने के योग्य नहीं हैं। गुरु नानक ने हमेशा अपने आपको ईश्वर का गुलाम और सेवक बताया है। गुरु गोबिंद सिंह, जो सिखों की ज़्यादातर कार्य प्रणालियों और रीतियों के लेखक थे, इस ख़तरे के प्रति बहुत सचेत थे कि कहीं उनके अनुयायी उन्हें देवता न मानने लगें। उन्होंने अपने जीवन के उद्देश्य का वर्णन करते हुए कहा है —

> क्योंकि मेरा ध्यान सर्वशक्तिमान ईश्वर के चरणों में,
> प्रार्थना करते हुए खो गया था मुझे एक सम्प्रदाय
> और उसके नियम बनाने का आदेश हुआ था।
> लेकिन जो कोई भी मुझे स्वामी के रूप में मानता है,
> वह श्रापग्रस्त और नष्ट हो जाएगा
> मैं हूं — और इसमें कोई संदेह न रहे

कि मैं भगवान का एक गुलाम हूं, जैसे और लोग हैं
मैं सृष्टि के चमत्कारों का साक्षी हूं

एक और वाक्य में, वह दूसरों के द्वारा ईश्वर का अवतार होने और देवता होने के दावों का खंडन करते हैं –

ईश्वर के कोई मित्र या दुश्मन नहीं होते
वह न भजन की ओर ध्यान देता है,
न भौंकने वाले पर
सबसे पहला और कालातीत होने से
वह अपने आपको, उन लोगों के ज़रिए
कैसे ज़ाहिर कर सकता है
जो जन्म लेते हैं और मर जाते हैं?

धर्म, जो इंसानी कोशिशों का लक्ष्य होता है और जिसकी प्राप्ति के लिए, गुरुओं का जीवन और शिक्षाएं बहुत सहायक होते हैं।

ग्रन्थ साहिब

ग्रन्थ साहिब को मुख्य तौर से, पांचवें गुरु, अर्जुन देव और उनके शिष्य भाई गुरदास द्वारा संकलित किया गया है। यह संकलन आदि ग्रन्थ कहलाता है, जिसे सिखों का पहला धार्मिक ग्रंथ माना जाता है। इसे दसवें गुरु, गोबिंद सिंह के दसवें ग्रन्थ 'दसम ग्रन्थ' से अलग पहचाना जाता है जिसे उनके शिष्य भाई मनी सिंह ने संकलित किया था।

स्वयं गुरु गोबिंद सिंह के हुक्म से अकेले आदिग्रन्थ को ही सभी गुरुओं के एक प्रतीकात्मक प्रतिनिधि के रूप में पवित्र ग्रन्थ का दर्जा दिया गया था। उनके 'दसम ग्रन्थ' को श्रद्धा से पढ़ा जाता है, लेकिन दीक्षा-समारोह को छोड़ कर, यह अनुष्ठानों का हिस्सा नहीं बन पाया।

आदिग्रन्थ या ग्रन्थ साहिब में पहले पांच गुरुओं, नवें गुरु तेग़ बहादुर और गुरु गोबिंद सिंह के दोहे शामिल हैं। फिर भी, इस पुस्तक में एक बड़ा भाग, उस समय के हिंदू और मुस्लिम संतों के लेखन का भी है, विशेष रूप से कबीर का। इसमें उन कवियों की रचनाएं भी शामिल हैं, जो विभिन्न गुरुओं के साथ रहे थे।

सिख गुरुओं द्वारा प्रयोग की गई भाषा, पंद्रहवीं और सोलहवीं शताब्दी की पंजाबी भाषा थी। दूसरी रचनाओं में हिंदी, फारसी, गुजराती, मराठी तथा उत्तर भारत की दूसरी बोलियों का प्रयोग किया गया है। इस पूरे लेखन कार्य में भारतीय शास्त्रीय संगीत को स्थान दिया गया है, जिसमें लेखक गुरु की रचनाएं सबसे पहले रखी गई हैं। सभी गुरुओं ने कविताओं के अंत में 'नानक' उपनाम का प्रयोग किया है।

एक पंक्ति में लिखे सभी शब्द एक दूसरे से जुड़े हुए हैं जो पाठ के प्रस्तुतिकरण में बहुत ज़्यादा भ्रम पैदा करते हैं। यह बताना असम्भव सा हो जाता है कि इसमें एक शब्द है या दो शब्द इकट्ठे ही लिखे गए हैं।

इसके बावजूद ग्रन्थ साहिब अद्‌भुत ऐतिहासिक दस्तावेज़ है। शायद यह अकेला ऐसा धार्मिक ग्रन्थ है, जिसमें बिना कुछ और जोड़े या उसमें बदलाव किए धर्म गुरुओं की मूल रचनाएं शामिल हैं। लोगों की याद्‌दाश्त के आधार पर इसमें दूसरे कवियों की साहित्यिक रचनाओं को भी शामिल किया गया है।

ग्रन्थ साहिब, सिख पूजा और रिवाज़ों का प्रमुख केंद्र है। सभी गुरुद्वारों में इस ग्रन्थ की प्रतियों को एक छत्र के नीचे रखा जाता है। इसे एक कपड़े में लपेट कर रखा जाता है, जिस पर अमूमन कशीदाकारी की होती है। सुबह-शाम इसे सिख प्रार्थना और पूरी विधियों के साथ खोला जाता है। लोग नंगे पांव इसके सामने, सिर को कपड़े से ढक कर आते हैं। लोग ज़मीन पर, अपना माथा निवा कर अपनी श्रद्धा प्रकट करते हैं। ग्रन्थ को ढकने वाले कपड़े पर लोग फल और पैसे चढ़ाते हैं।

बारी-बारी से भक्त लोग, ग्रन्थ साहिब का बिना रुके पाठ करते हैं। जिसे अखंड पाठ कहा जाता है, जिसमें दो दिन और दो रातों का समय लगता है और इसे महत्वपूर्ण धार्मिक त्योहारों और निजी समारोहों में किया जाता है। इसके अलावा, एक सप्ताह का पाठ भी होता है जो थोड़ा आसान होता है। यह अमूमन घरों में किया जाता है और इसमें बाहर से कोई सहायता नहीं ली जाती।

सिख बच्चों का नाम, ग्रंथ साहिब के खुलने वाले पन्ने पर लिखे शुरुआती अक्षर के आधार पर रखा जाता है। सिख युवकों को ग्रंथ साहिब के सामने सस्वर पाठ के साथ दीक्षा दी जाती है। सिख जोड़ों की शादी, चार फेरे लेते हुए और ग्रंथ साहिब भजन गाते हुए होती है।... मरते हुए व्यक्ति के कानों में ऊंची आवाज़ में, भजन पढ़े जाते हैं और श्मशान घाट पर, अग्नि के हवाले करते हुए भी भजनों का पाठ किया जाता है। इस सबके बावजूद, ग्रंथ साहिब हिंदू मंदिरों में स्थापित देवी-देवताओं या कैथोलिक चर्च में बने 'क्रॉस' के चिह्न की तरह नहीं है। यह पूजा का एक माध्यम है, लेकिन प्रार्थना या पूजा का उद्देश्य नहीं। सिख इसका सम्मान करते हैं, क्योंकि इसमें गुरुओं की शिक्षाएं शामिल हैं। यह ईश्वरीय वाणी से अधिक दिव्य ज्ञान की पुस्तक है।

तीर्थ-यात्रा

सिख न तो 'पवित्र' नदियों या पर्वतों में विश्वास रखते हैं, न ही वे पत्थरों के देवताओं की पूजा करते हैं। किसी मूर्ति की पूजा करने, किसी मंदिर की तीर्थ यात्रा पर जाने, जंगलों में जाकर तपस्या करने के बावजूद भी मन शुद्ध न रहने से सब कुछ बेकार हो जाता है। 'सब चीज़ों को छोड़कर, सिर्फ सत्य की पूजा करो।' (नानक)

गुरु नानक के जीवन की दो घटनाएं तीर्थ यात्रा के बारे में उनके विचारों को स्पष्ट करती हैं। वह एक दिन सुबह गंगा नदी गए, वहां भक्त लोग स्नान कर रहे थे। सूर्य की ओर मुंह करके, हथेलियों में

भर कर अपने मृत पूर्वजों को जल समर्पित कर रहे थे। नानक उनकी विपरीत दिशा में जल समर्पित करने लगे। पूछने पर उन्होंने कहा, 'मैं पंजाब में अपने खेतों को पानी दे रहा हूं। यदि आप लोग अपने मृत पूर्वजों को स्वर्ग में पानी भेज सकते हैं, तो किसी के लिए धरती पर, किसी दूसरे स्थान पर जल भेजना कहीं ज़्यादा आसान है।'

दूसरी घटना में, वह मक्का की दिशा में पैर करके सो रहे थे। इससे क्रोधित, एक मुल्ला ने उन्हें जगाया और उनका ध्यान इस ओर दिलाया। नानक ने केवल इतना ही कहा, 'यदि तुम समझते हो कि मैंने अल्लाह के घर की तरफ़ पैर करके, उनका अपमान किया है, तो मेरे पैर उस दिशा में कर दो, जहां अल्लाह नहीं है।'

हालांकि तीर्थयात्रा के लिए कोई स्थान या अवसर तय नहीं है। सिख अपने गुरुओं के जन्मदिन पर उनके जन्म स्थान पर इकट्ठे होते हैं। पांचवें गुरु, अर्जुन देव के शहीदी दिवस पर बहुत बड़ी तादाद में लोग उत्सव मनाने लाहौर में इकट्ठे होते है और अब यह दिल्ली और देश के दूसरे कई भागों में मनाया जाता है। इससे भी महत्वपूर्ण स्थान है – गुरु नानक का जन्म स्थान (अब पाकिस्तान में); लाहौर में गुरु अर्जुन देव को फांसी दिए जाने की जगह; अमृतसर और तरणतारण में गुरुद्वारे (भारत के पंजाब राज्य में); पटना में गुरु गोबिंद सिंह की जन्मस्थली और नान्डेड़ (महाराष्ट्र) में उनका मृत्युस्थल। इन जगहों पर सिख कई-कई बार यात्रा करते हैं।

मृत्यु और मृत्यु के बाद का जीवन

सिख, धर्म-कर्म और मृत्यु के बाद जीवन होने के सिद्धान्त को स्वीकार करते हैं। यह माना जाता है कि इंसान की मृत्यु के बाद वह दुबारा जन्म लेता है और उसके जन्म का निर्धारण उसके मौजूदा जीवन में किए गए कर्मों के आधार पर होता है। एक व्यक्ति मृत्यु और पुनर्जन्म के दुष्चक्र से, अपने अच्छे कर्मों के आधार पर छुटकारा पा सकता है, जिसे 'मोक्ष' कहा जाता है।

जिसने दिन और रात बनाए
सप्ताह के दिन और मौसम बनाए
जिसने हवाएं चलाई, पानी के प्रवाह को बनाया,
जिसने अग्नि और पृथ्वी बनाई – क़ानून का मंदिर,
जिसने कई तरह के प्राणियों को पैदा किया,
जिसने उन सभी प्राणियों को नाम दिया,
क़ानून बनाया –
विवेक और कर्मों को न्याय मिलेगा
क्योंकि ईश्वर एक सत्य है
वहां उसकी अदालत सजती है
और ईश्वर खुद उनके कर्मों का सम्मान करता है
वे अलग तरह के कार्य हैं जिनको करने से पुण्य
प्राप्त होता है
शब्द व्यर्थ हैं, अगर वे व्यवहार में न लाए जाएं
ओ नानक, यह सच इसके बाद भी बना रहेगा

(नानक)

समाज

सिख परम्परा में समाज को न्याय करने वाले का दर्ज़ा दिया जाता है। आख़िरी गुरु ने उन तरीक़ों का पता लगाया, जिससे समाज की इच्छा का पता चलता है और जिसे लागू किया जा सकता है। मण्डली (संगत) के चुने गए प्रतिनिधियों द्वारा पारित प्रस्ताव (मत), गुरुमत (गुरु का आदेश) बनता है। गुरुमत को, स्वयं गुरुओं द्वारा शुरू किए गए स्वरूपों और सम्मेलनों में बांटा जा सकता है।

पुजारी का पद

सिख धर्म में पुजारी नहीं होते। सभी बालिग, चाहे उसकी हैसियत और लिंग कोई भी हो, धार्मिक अनुष्ठान करवा सकते हैं। अब तो पेशेवर ग्रंथों का पाठ करने वाले (ग्रंथी) और संगीतकार (रागी) भी आ चुके हैं; लेकिन यह अभी बड़े शहरों तक ही सीमित है। जहां मण्डली का आकार, संस्थागत ज़रूरतों के मुताबिक ही होता है।

जाति व्यवस्था

सिख धर्म जाति व्यवस्था को मान्यता नहीं देता। गुरु नानक ने एक मुसलमान संगीतज्ञ को अपने साथी के रूप में चुना, जो आम तौर पर जाति व्यवस्था से हटकर है। अपनी रचनाओं में नानक ने बहुत जगहों पर उन लोगों को धर्मभ्रष्ट कहा है, जो छुआछूत से, भगवान के जीवों का अपमान करते हैं। उदाहरण के लिए —

> यहां सबसे सज्जन लोगों में भी नीच लोग होते हैं
> और सबसे तुच्छ लोगों में भी सबसे पवित्र,
> तुम तुच्छ लोगों को अनदेखा करो
> और पवित्र लोगों की चरणों की धूल बनो।

और दूसरे गुरु अंगद जी ने कहा —

> कुछ लोग जात-पात का भेद मानते हैं
> लेकिन वे सब एक ही बीज से उत्पन्न हैं जैसे कि —
> बेशक, आकार और रूप में ख़राब हों,
> लेकिन मिट्टी हमेशा एक सी ही रहती है
> पांच तत्त्वों से बना इंसान का शरीर
> भी ऐसा ही है, उनमें कोई बड़ी जात का या कोई
> छोटी जात का कैसे हो सकता है?

गुरु गोबिंद सिंह के पहले पांच शिष्यों में, तीन शिष्य नीची जाति से थे। एक दृढ़ निश्चयी विचार के साथ, उन्होंने कहा कि वे चारों वर्गों* को मिला कर एक कर देंगे, ठीक वैसे ही जैसे पान के पत्ते के चार घटकों को चबाने पर एक ही रंग पैदा होता है।

प्रार्थना

सिख धर्म की बहुत हैरान करने वाली एक विशेषता है, इसका प्रार्थना करने पर ज़ोर देना। आमतौर पर, इस प्रार्थना का अर्थ है – ईश्वर का नाम बार-बार दोहराना और उसकी प्रशंसा में भजनों का पाठ करना। यह भक्ति काल में बहुत प्रसिद्ध हुआ और सिख धर्म आज इसका सबसे बड़ा प्रतिनिधि है। सिख शास्त्र, बहुत बड़ी मात्रा में, सच्चा नाम (सत् नाम) दोहराने का उपदेश देते हैं, जिससे पाप और अपवित्र विचार शुद्ध होते हैं –

> जब हाथ और पैर कीचड़ से सने हों,
> पानी उन्हें साफ़ कर देता है
> जब कपड़ों पर जम जाता है मैल,
> जो साबुन उन्हें धोकर, चमका देता है
> जब पाप, आत्मा को अशुद्ध कर देता है
> सिर्फ़ प्रार्थना से ही शुद्ध हो पाती है।
>
> वह शब्द ही बनाते हैं किसी को साधु या शैतान
> भाग्य की किताबों में लिखा होता है सिर्फ़ कर्म
> हम जो बोते हैं, वही पाते हैं
> हे नानक, या तो बचा लो खुद को (पापों से)
> या (मृत्यु के बाद) दूसरे शरीर में जन्म ले लो

(नानक)

---

* यहां लेखक का आशय है – ब्राह्मण, क्षत्रिय, वैश्य और शूद्र वर्ग।

उसी समय, तप के ख़िलाफ़ एक सकारात्मक रोक भी है जिसमें समाज को त्याग देने, ब्रह्मचर्य और तपस्या भी शामिल हैं। सभी गुरुओं ने सामान्य पारिवारिक जीवन बिताया और एक गृहस्थ के तौर पर सभी सांसारिक ज़िम्मेदारियां निभाईं। उन्होंने आध्यात्मिक मार्गदर्शक के रूप में अपने दायित्वों को भी पूरा किया। एक समाज के संबंध में छोड़ दें, तो साधु जीवन की अवधारणा बिल्कुल बेईमानी है। ऐसे कई उदाहरण हैं जहां लोग इस संसार में रहते हुए भी सांसारिक नहीं होते। सबसे अच्छा है, इस समाज का एक अंग बने रहकर साधुत्व को पाना और सभी सांसारिक ज़रूरतों के साथ एक आध्यात्मिक जीवन जीना (राज में योग कमाना)।

धर्म, योगी के पहने चोगे में नहीं रहता
न उसकी देह पर मली भभूति में
धर्म, कान की बालियों में नहीं रहता
न ही मुंडे हुए सिर में
न शंखों की आवाज़ों में
यदि तुम धर्म का सच्चा मार्ग पाना चाहते हो,
तो दुनिया की अपवित्रताओं में रहकर, अपवित्र न बनो

(नानक)

शान्तिवाद और (नैतिक) शक्ति का प्रयोग

धर्म में, सिख शांतिवाद और सिख सौम्यवाद व सिख सैन्यवाद, विरोधाभास प्रस्तुत करते हैं; जिसका सिर्फ़ इतिहास के ज़रिए ही वर्णन किया जा सकता है। एक सफल शान्तिवादी विश्वास का, एक सीधी सादी सैन्य परम्परा के साथ मेल आसान नहीं है, लेकिन यह एक ही तरीके से सम्भव है, जब विश्वास विलुप्त होने की धमकी से डरा हुआ हो और शक्ति के इस्तेमाल से उसे बचा लिया जाए। निश्चित

रूप से यह गुरु गोबिंद सिंह द्वारा उठाए गए क़दम का विवरण है। एक फारसी कविता में उन्होंने लिखा है –

चु कार अज़् हमा हर हील ते दर गुज़श्त
हलाल अस्त बुरदन ब–शमशीर दस्त

(अन्याय का विरोध करने में, जब सभी प्रयास विफल हो चुके हों, तब तलवार का प्रयोग करना उचित भी है और पवित्र कार्य भी)

यह सम्भव है कि अगर पंजाब में शांतिपूर्ण माहौल लौट आता और सब कुछ सामान्य हो जाता, तो सिखों की तलवारें म्यान में ही रखी रहतीं और नानक के कहे शब्द, जो शांति और मानवता का प्रचार करते हैं, सिख धर्म का प्रतीक बन गए होते। जैसे कि उस समय के हालात थे, गुरु गोबिंद सिंह के बाद के समय को भारत के इतिहास में सबसे अशांत समय माना जाता है। ख़स्ताहाल मुग़ल साम्राज्य ने अपनी नाकामियां छिपाने के लिए, अल्पसंख्यकों को बलि का बकरा बनाया। तब अभूतपूर्व बर्बरता से नरसंहार हुए, जिसमें सिखों के एक छोटे समुदाय का लगभग सफाया हो गया। देश के भीतर अत्याचार करते हुए उत्तर की ओर से नए मुस्लिम हमलावर आए, जिन्होंने उन सभी लोगों या संस्थाओं का विनाश कर दिया, जिन्हें वे ग़ैर-इस्लामिक मानते थे। ऐसी परिस्थितियों में युद्ध संबंधी परम्पराएं सामने आईं, जो सिख जीवन का एक अभिन्न अंग बन चुकी थीं और जिन्होंने सिखों को धर्म के लिए लड़ने वाली एक कौम के रूप में प्रसिद्ध कर दिया।

7

सिख प्रार्थनाएं

...सफाई और पवित्रता हमारे खाना बनाने या खाने के ढंग में निहित नहीं होती, बल्कि वह हमारे दिलों में होती है यह इस बात में होती है कि हम अपनी आंखों से क्या निहारते हैं, हम अपने कानों से क्या सुनते हैं, हम अपनी जीभ से कैसा स्वाद लेते हैं और हम अपने अंगों से कैसा कार्य लेते हैं। ये हमें पवित्र या अपवित्र बनाते हैं। शेष सब अंधविश्वास और भ्रम है।

जपजी

जपजी सिखों की सबसे महत्वपूर्ण प्रार्थना है। यह मान्यता है कि इसे सिखों के पांचवें गुरु, अर्जुन देव (1563-1606) ने तब लिखा था, जब उन्होंने आदि-ग्रंथ को संकलित किया और इसे पवित्र संकलनों में पहला स्थान दिया गया। परम्परा के अनुसार, जब कुछ शिष्यों ने यह शिकायत की कि जपजी साहिब की भाषा बहुत जटिल है और उसे थोड़ा

सरल बनाने की आवश्यकता है, तो गुरु अर्जुन देव ने उत्तर दिया कि सम्पूर्ण आदि-ग्रन्थ ही जपजी साहिब की व्याख्या है।

हमें जपजी साहिब की रचना के लिए ज़िम्मेदार परिस्थितियों और रचना की तिथि के बारे में निश्चित रूप से कुछ नहीं पता। अधिकांश जन्म साखियों (सच्ची जन्म कथाएं) के अनुसार, इसकी शुरुआती पंक्तियां गुरु नानक द्वारा बोली गई थीं, जब उन्हें सुल्तानपुर, पंजाब में एक रहस्यात्मक अनुभव हुआ था और वे बेईं नदी में ग़ायब हो गए थे। जपजी को गुरु नानक की सबसे पहली रचनाओं में माना जाता है। यानी यह समय, उनके सुदूर देशों की यात्रा पर निकलने से पहले, 1500 और 1507 ईस्वी के बीच माना जाता है।

अधिकांश सिख विद्वान जन्म-साखियों के इस संस्करण को स्वीकार नहीं करते। उनका विचार है कि जपजी और गुरु नानक द्वारा रची गई अन्य रचनाएं जैसे आसा दी वार, सिद्ध गोष्ठी और 'बारह माह' में शैली और वैचारिक अंतर्वस्तु की परिपक्वता दिखाई देती है जो इस बात का संकेत है कि गुरु नानक द्वारा अपनी यात्राएं पूरी करने और पंजाब के करतारपुर में बस जाने के बाद ही इनकी रचना की गई है। विद्वान डॉ. मोहन सिंह, 17वीं सदी की पाण्डुलिपि का उल्लेख करते हैं जो यह बताती है कि गुरु नानक जब करतारपुर में थे तो उन्हें ईश्वर के दरबार में आने और जपजी की रचना करने का आदेश दिया गया था। तब उन्होंने अपने मुख्य शिष्य और नियत उत्तराधिकारी अंगद से ये शब्द कहे, 'यह महान विधाता का हुक्म है कि मैं 'स्तुति भजनों की रचना करूं।' इसके बाद गुरु नानक ने अपनी रचनाओं का सारा खज़ाना अंगद को इस आदेश के साथ सौंप दिया – 'जप को संकलित करने की ज़िम्मेदारी अब तुम्हारी है।' तत्पश्चात, अंगद ने नानक की उपस्थिति में ही छंदों को सिलसिलेवार व्यवस्थित कर, जपजी को संकलित किया। उन्होंने नानक के उपदेशों के सार के लिए नानक की रचनाओं में से 38 छंदों का चुनाव किया। डॉ. मोहन सिंह और जाने माने सिख शिक्षाशास्त्री, प्रोफेसर साहिब सिंह के अनुसार, जपजी के छंदों की रचना

का क्रम जैसा आज है, उसके अनुसार उनका रचनाकाल 1532 ईस्वी था, यानी गुरु नानक के देह त्यागने के सात साल बाद।

जपजी में अपने समय की रचनाओं के पारम्परिक स्वरूप को अपनाया गया है जिसकी शुरुआत भगवान के मंगलाचरण से होती है और अंत सफलतापूर्वक, इस मंगलकार्य को पूरा करने के लिए भगवान को धन्यवाद देने के साथ।

जपजी भगवान की प्रकृति, उसकी अद्धितीयता, सर्वशक्ति, अमरत्व आदि पर एक ब्यान के साथ आरम्भ होता है और ईश्वर के सत्य और वास्तविक होने की पुष्टि करता है। इसकी समाप्ति एक दूसरे ब्योरे से होती है, जिसमें कहा गया है कि ईश्वर का ज्ञान सिर्फ गुरु की कृपा से ही प्राप्त किया जा सकता है। यहां सिख मत का मूल अंग प्रस्तुत हैः 'इक ओंकार सतनाम करता पुरख निरभउ निरवैर अकाल मूरति अजूनी सैभं गुर प्रसाद' ये पंक्तियां सभी सिख प्रार्थनाओं के आरम्भ में होती हैं वैसे ही जैसे बिस्मिल्लाह-हिर-रहमान-ए-रहीम-अल्लाह के नाम से जो बड़ा कृपालु, अत्यंत दयावान है – कुरान के हर अध्याय के शुरू में दिखाई देती हैं। वे दीक्षा (दान) के मानक रूप हैं जो एक गुरु अपने शिष्य को गुरु-मंत्र के समय देता है।

अगली कुछ पंक्तियां फिर से 'मूल' मंत्र को बयान करती हैं और फिर से शाश्वत (टाइमलैस) और सत (सत्य और वास्तविकता) की ईश्वर की विशेषता पर ज़ोर देती है। उसके बाद 'जप' की शुरुआत होती है।

पहले श्लोक में सत्य की खोज आरम्भ होती है। चूंकि मनुष्य के जीवन का उद्देश्य है ईश्वर को जानना और उसके साथ जुड़ना और न सोचना न चिंतन करना, न तपस्या न किसी अन्य उपकरण से रहस्य का पता चलता है। हम कैसे भ्रम का परदा हटा सकते हैं जो हमारी आंखों को ढक लेता है और हम कैसे सत्य को जान सकते हैं? बाकी श्लोक इन प्रश्नों के उत्तर हैं कि भगवान के अध्यादेशों का कैसे पालन किया जाए? अंतिम चार श्लोक (34 से 37) बताते हैं कि इंसान कैसे आध्यात्मिक मुक्ति पा सकता है। पृथ्वी से शुरू होकर

क़ानून का चक्र कुछ सीखने के लिए ज्ञान के चक्र की ओर बढ़ता है, जो कि दूसरा चरण है। तीसरा चरण है सुन्दरता का चक्र और चौथा चक्र है कार्रवाई का, यानी क्रियान्वन का। यह यात्रा सत्य के चक्र पर आकर और ईश्वर में विलीन होकर समाप्त होती है। जपजी के अंतिम 'श्लोक का सारांश' इंसान को 'सम्पूर्णता' प्राप्त करने का मार्ग दिखाता है — आत्म-नियंत्रण, धैर्य, ज्ञान, ईश्वर का भय और ईश्वर का प्रेम और आरम्भिक प्रार्थना है —

> ईश्वर एक है
> उसका नाम है सत्य
> वह रचयिता है
> वह भय से मुक्त है, वह घृणा रहित है
> वह कालातीत है, अमर है
> उसकी आत्मा में व्याप्त है
> वह जन्म और मृत्यु के चक्र से परे है
> वह अजन्मा है
> वह मरता नहीं है, पुन: पैदा होने के लिए
> वह स्वयं विद्यमान है
> गुरु की कृपा से तुम उसे पूजो

आसा दी वार

आसा दी वार भजनों (जिन्हें सिख लोग 'शबद' कहते हैं — अनुवादक) का एक संग्रह है जो अमृत बेला में गाए जाते हैं। ये वीर-गाथा के रूप में रचे गए हैं और संगीत के माध्यम में इसे 'राग आसा' के रूप में प्रस्तुत किया गया है। इसे श्लोकों और पौड़ी छंदों में बांटा गया है, जो बारी-बारी से एक बयान और टिप्पणी के रूप में आते हैं। दूसरे गुरु अंगद के कुछेक छंदों को छोड़ कर, इसे पूरी तरह से गुरु नानक ने ही रचा है।

'आसा दी वार' में, दूसरी रचनाओं की तरह, गुरु ने अपने आपको एक ही विषय या किसी विशेष मुद्दे या किसी थीसिस के तर्कसंगत विकास तक ही सीमित नहीं रखा। फिर भी, एक विचार जो बार-बार इस कृति में आता है, वह यह है कि एक इंसान कैसे अपने आपको निचले स्तर से ईश्वरीय स्तर तक ऊंचा उठा सकता है और फिर ईश्वर से जुड़ने के लिए स्वयं को तैयार कर सकता है। आसा दी वार के कुछ अनुच्छेद मुन्डक और उपनिषद कथाओं से प्रेरित हैं। इस रचना में कई बार हिन्दू की 'मिश्रित-भावना' की आलोचना की गई है, एक ओर तो रूढ़िवादिता का दिखावा और दूसरी ओर, सत्ताधारियों को खुश करने के लिए मुस्लिम (विदेशी) रीति-रिवाज़ों की नकल करना।

आसा दी वार के आरम्भ में गुरु की प्रशंसा की गई है, जो इंसान का सबसे बेहतरीन पक्ष बाहर लाकर, उसे ईश्वर जैसा बना देता है। जो यह सोचता है कि वह गुरु के बिना कुछ कर सकता है, हमेशा असफल ही रहता है। यहां आसा दी वार के कुछ अंश प्रस्तुत हैं --

> ईश्वर ने सबसे पहले इस संसार की रचना की और अपने नाम का गुणगान किया। तत्पश्चात् वह अपनी रचना का आनंद लेने के लिए आसन पर बैठ गया।
>
> ईश्वर ने जिस चीज़ की रचना की, ब्रह्माण्ड और वे क़ानून, जिससे यह संचालित होता है, वे हैं सत्य, सिर्फ सत्य और वास्तविकता। आगे, हम ईश्वर के नाम का गुणगान करें, क्योंकि वह अकेला ही है, जो अमर है और दयावान है। वह हमारे आंतरिक रहस्यों को जानता है। हम उसके तौर-तरीकों को समझ नहीं सकते। वह समस्त जीवों को जीवन प्रदान करता है, उन्हें विभिन्न नाम देता है और उन्हें विभिन्न कार्य करने को देता है और उसी के अनुसार उन्हें परखता है।
>
> ईश्वर को जानने का हमारा ज्ञान बहुत सीमित है। दृश्य, ध्वनियां, रंग, हवाएं, जल, अग्नि, जीवन के विविध रूप, स्वाद,

व्यवहार के प्रारूप इत्यादि। हम केवल उन पर आश्चर्य प्रकट कर सकते हैं और ईश्वर की प्रशंसा कर सकते हैं। यदि इंसान को उसी के भरोसे छोड़ दिया गया, तो वह स्वयं को ही भस्म करके पृथ्वी पर अपने जन्म लेने के उद्देश्य को व्यर्थ कर देगा।

इस संसार में जो कुछ भी है, चाहे वह चेतन हो या अचेतन-हवा प्रवाह, अग्नि, आकाश, सूर्य, चंद्रमा, नश्वर और अतिमानव — सभी ईश्वर के डर से उसका कहा मानते हैं। सिर्फ ईश्वर ही भय से परे है। ईश्वर ही कालातीत है। राम और कृष्ण जैसे भगवान किसी बाज़ीगर के समान थे, जो किसी बाजार में अपनी चालों का प्रदर्शन करते थे और अपना तमाशा ख़त्म होते ही तमाम सामान बांध कर चल देते थे।

दिव्य ज्ञान गलियों में घूमने से प्राप्त नहीं होता, यह ईश्वर की कृपा से ही मिलता है। ईश्वर की कृपा से ही इंसान एक सच्चा शिक्षक (सतगुरु) पाता है, जो अपने शिष्य के कानों में पवित्र शब्द (शबद) का उच्चारण करता है और उसके अहंकार पर विजय पाने में उसकी सहायता करता है।

ईश्वर ने स्वयं ही वास्तविकता और ज्ञान की रचना की। हमें इनके अंतर को जानना, सीखना होगा। हम अनुष्ठान का प्रदर्शन करके ऐसा नहीं कर सकते, क्योंकि अनुष्ठान अर्थहीन गतिविधियों के बवंडर की तरह है। यह केवल ईश्वर के भय से बंधकर ही होगा। जो प्रभु से डरते हैं, वही अपने हृदय में प्रभु के होने का आनंद लेते हैं।

तू निराकार है, तेरा नाम हमें नरक से बचाता है, मृत्यु अटल है। कोई भी समय की गति को रोक नहीं सकता। हम जितना भी समय के प्रभाव को छिपाने की कोशिश करें, हमारी उम्र इस या उस तरीक़े से स्वयं को प्रमाणित कर ही देती है।

पूजा के अलग-अलग ढंग हैं — मुसलमानों और हिन्दुओं की पूजा, मशहूर लोगों और घरेलू लोगों की पूजा। कोई भी दूसरे के रीति-रिवाजों का उपहास करने की स्थिति में नहीं है। मुसलमान

लोग कहते हैं कि चूंकि हिन्दू लोग मृतकों को जलाते हैं, इसलिए मृतकों को जहन्नुम नसीब होता है। वे यह बात महसूस नहीं करते कि एक कुम्हार भट्टी में तपा कर जो घड़ा बनाता है, उसे भी दुबारा धरती (मिट्टी) में ही मिलना होता है, जिसमें मुसलमान लोग मृतकों को दफनाते हैं।

सतगुरु (शिक्षक) की कृपा के बिना आज तक न तो किसी को ईश्वर की प्राप्ति हो सकी है और न ही होगी, क्योंकि ईश्वर सतगुरु में ही अपने अस्तित्व को ज़ाहिर करता है और सतगुरु के माध्यम से ही अपनी बात कहता है।

सभी बुराइयों की जड़ है अहंकार। जब तक हम अपने अहम् पर विजय नहीं पाते, हम अज्ञान के रास्ते पर भटकते रहेंगे, बिना सच्चे मार्ग को खोजे। हम ईश्वर की सेवा करके और उसे पूज कर ही अपने अहम् पर विजय पा सकते हैं और सच्चाई का रास्ता प्राप्त कर सकते हैं।

चूंकि ईश्वर ने ही सबको बनाया है, इसलिए हमें इस संसार की देखभाल का काम उसी पर छोड़ देना चाहिए। धार्मिक अनुष्ठान करना, अच्छे कर्म करना, दान देना, तीर्थ यात्रा पर जाना, ध्यान-चिंतन करना, धर्म के लिए लड़ना इत्यादि — सब बेकार है यदि उन पर कोई दैवीय कृपा नहीं है।

केवल सतगुरु ही हमें बता सकता है कि हम ईश्वर को कैसे पाएं और सत्य का आनन्द कैसे उठाएं। जो यह सोचते हैं कि वे यह सब खुद ही कर सकते हैं, वे मूर्ख हैं, अज्ञानी हैं और अपने जन्म को व्यर्थ कर रहे हैं, बिना यह जाने कि किस उद्देश्य से उनका जन्म हुआ है। इस सर्वोच्च सत्य को कोई भी हमें सिखा नहीं सकता। किताबी ज्ञान केवल हमारे अहं को बढ़ाता है। तीर्थ यात्राएं इंसान को पाखंडी बनाती हैं। तपस्या से शरीर का थोड़ा बहुत भला हो सकता है, जैसे 'स्व' की भावना (अह) का दिव्य शब्द (शबद) से ही नाश किया जा सकता है। सच्चे भक्तजन इस बात को जानते हैं और हमेशा ईश्वर का गुणगान करते हैं।

वे जानते हैं कि शेष सब, चाहे वह शक्ति या सत्ता की बात है या फिर धन-सम्पदा की, भ्रम है। वे मनुष्यों से प्यार करने की निरर्थकता को जानते हैं, जो धरती पर रहते हैं, लेकिन ऐसा बहुत कम समय के लिए ही हो पाता है। वे यह जानते हैं कि स्नान करने या अच्छे कपड़े पहनने से ही कोई इंसान 'साफ' नहीं हो जाता। यह तो उसके भीतर की व्यवस्था से छल कपट की बुराई को धोने से सम्भव हो सकता है और तभी उसका मन प्रेम का मंदिर बन सकता है।

एक इंसान तभी पवित्र बन सकता है जब वह सब लोगों में ईश्वर का प्रकाश देखता है; जब वह दूसरों पर दयाभाव दिखाता है और अपने ज़रूरतमंद साथियों को दान देता है।

आज किसी सच्चे इंसान के चरणों की मुट्ठी भर धूल उठा कर, अपने माथे पर लगाएं और एकचित्त होकर ईश्वर का ध्यान करें। आपकी मेहनत हर हाल में सफल होगी।

हम बहुत अंधेरे समय (कलियुग) में रह रहे हैं जहां लालच और लालसा ही सबसे ऊपर है, हमारे विद्वानों के पास बांटने के लिए ज्ञान नहीं है, योद्धाओं के पास वीरता नहीं है और ये सब लोग मात्र अपने स्वार्थसिद्धि की ही सोचते हैं। हम इस बात को महसूस ही नहीं करते कि ईश्वर हमारे अंतरतम रहस्यों को जानता है और हम जिस चीज़ के लायक हैं, हमें वही मिलेगा।

दर्द कई बार हमारी बीमारी के लिए दवा का काम करता है। सुविधाएं उन लोगों के लिए अभिशाप भी हो सकती हैं जो ऐशो-आराम में जीते हैं और ईश्वर का स्मरण नहीं करते।

एक लोटे का ही उदाहरण लें, जो सख़्त होने पर ही पानी को अपने भीतर रोक सकता है, इसी तरह दिमाग़ भी है जिसमें ज्ञान भरा होता है, लेकिन इसके लिए दिव्य ज्ञान चाहिए जो एक गुरु ही हमें दे सकता है और हमारे दिमाग़ को सही बना सकता है। यदि एक ज्ञानी व्यक्ति को यह सच्चाई नहीं मालूम,

तो हम उसे कैसे दोष दे सकते हैं जो सिर्फ़ सीखने का दिखावा करता है।

जैसे माला के केंद्र में केवल एक ही बड़ा मनका होता है, वैसे ही हर मनुष्य की एक मुख्य विशेषता होती है। इसी तरह, हर युग की भी एक विशेषता होती है। एक युग की तुलना एक रथ और उसके सारथी से की जा सकती है। हिन्दुओं के चारों वेद भिन्न-भिन्न समय पर हुए भिन्न-भिन्न देवताओं द्वारा लिखे गए। आज हम अंधेरे युग (कलियुग) में जी रहे हैं जहां सबसे बड़ा वेद है — अथर्ववेद, प्रमुख भगवान इस्लाम का अल्लाह है, सबसे प्रभावशाली रीति-रिवाज़ मुसलमानों के हैं, जिनकी पोशाक और चाल-ढाल की नक़ल हिन्दू लोग करते हैं।

इस कलियुग में बुराइयों से बचने का एकमात्र तरीक़ा है, किसी सतगुरु को पा लेना, जिसकी शिक्षा हमारी आंखों के लिए ज्ञान के मरहम की तरह हैं।

किसी के रूप से मोहित नहीं होना चाहिए। उदाहरण के लिए रेशमी कपास के पेड़ को ही लें। यह बहुत विशाल होता है, तीर के समान सीधा होता है और बहुत फैला हुआ होता है। इसके बावजूद, न तो इसके पत्ते, न फूल, न फल ही किसी के कोई काम आते हैं। विनम्रता में बहुत मिठास और महानता छिपी होती है। जब किसी बड़े तराजू में कोई चीज़ तौली जाती है, तो जो वस्तु तराजू के आधार के बिल्कुल पास होती है, वही ज़्यादा भारी होती है।

यदि हमारे दिल में सच्चाई नहीं है, तो धार्मिकता का प्रदर्शन, पवित्र श्लोकों को तोते की तरह रट कर बोलना, माथे पर सिंदूर का लेप करना (तिलक लगाना) इत्यादि सब कुछ व्यर्थ है।

हम जब इस संसार में आए तो एक साफ़ तख्ती की तरह थे और उसके बाद, अच्छे या बुरे कर्मों के आधार पर हम कुछ पाते या खोते हैं। हम नंगे ही इस दुनिया से लौट जाते हैं, जैसे नंगे हम आए थे और यदि हमारे कर्म बुरे रहे हैं तो हम अपने

कर्मों का हिसाब देने के लिए नरक के जबड़ों में धकेल दिए जाएंगे। हिन्दू अपने गले में एक पवित्र धागा (जनेऊ) पहनते हैं। यह जनेऊ मैला हो सकता है, जल सकता है, खो सकता है या टूट भी सकता है। हम दया-संतोष, अनुशासन और सच्चाई का कोई धागा क्यों नहीं बनाते?

हिंदू अपने मंत्रोच्चारण करने और धार्मिक क्रिया-कलाप करने के लिए ब्राह्मणों या पंडितों को पैसे देकर बुलाते हैं। ब्राह्मण भी मृत्यु को प्राप्त होते हैं। तो फिर वे दूसरों को कैसे बचा सकते हैं यदि वे स्वयं को नहीं बचा सकते तो?

यह देखिए कि हिंदू लोग किस स्तर तक गिर चुके हैं। वे ब्राह्मणों और गायों की पवित्रता की बात करते हैं और उसी समय, अपनी स्वार्थ-सिद्धि के लिए अपने मुसलमान मालिकों की नकल करते हैं। यही है पवित्र जनेऊ धारण करने वाले लोग? उन्हें शर्म भी नहीं आती, क्योंकि वे बेईमानी और छल-कपट में लगे हैं। उनके माथे पर लगे जातिसूचक चिन्हों से भ्रमित न हों, न उनकी सुंदर धोतियों से। लेकिन जिस स्थान पर वे अपना खाना बनाते हैं या जो कुछ वे खाते हैं, वह अशुद्ध होती है। वे कुल्ला करके अपने भीतर की बुराइयों को नहीं धो सकते।

ईश्वर सबके बारे में सोचता है और सबको एक न एक कार्य सौंपता है। यदि कोई शक्तिशाली राजा भी दैवीय आदेशों के ख़िलाफ जाता है तो वह मिट्टी में मिल जाता है।

यदि कोई चोर अपने मृत पूर्वजों की आत्मा की शांति के लिए, चोरी किया हुआ सामान ब्राह्मणों को देता है, तो चोर के साथ-साथ उनके विरुद्ध भी चोरी की कार्रवाई नहीं होनी चाहिए? यदि कोई पादरी किसी को दफनाने का समारोह आयोजित करे, तो क्या उसे दंडित नहीं करना चाहिए?

एक झूठे व्यक्ति के लिए झूठ एक स्वाभाविक क्रिया है जैसे एक महिला के लिए माहवारी। माहवारी के पश्चात् एक महिला स्नान करके अपने शरीर को साफ़ करती है, लेकिन झूठ को

तो सिर्फ़ दिलों में ईश्वर को समाहित करके ही साफ़ किया जा सकता है।

अमीर और प्रभावशाली लोग अपनी सनक में इन चीज़ों की कल्पना करते हैं – शानदार घोड़े, सुंदर स्त्रियां, बड़े-बड़े बंगले, अक्सर वृद्धावस्था आने तक भूल जाते हैं कि मृत्यु अटल है, एक दिन उनके अर्जित सब कुछ को समाप्त कर देगी।

सफाई और पवित्रता हमारे खाना बनाने या खाने के ढंग में निहित नहीं होती, बल्कि वह हमारे दिलों में होती है यह इस बात में होती है कि हम अपनी आंखों से क्या निहारते हैं, हम अपने कानों से क्या सुनते हैं, हम अपनी जीभ से कैसा स्वाद लेते हैं और हम अपने अंगों से कैसा कार्य लेते हैं। ये हमें पवित्र या अपवित्र बनाते हैं। शेष सब अंधविश्वास और भ्रम है।

हमें, मनुष्यों में सबसे महान व्यक्ति के तौर पर सतगुरु की प्रशंसा करनी चाहिए, जो तुम्हें धर्म के रास्ते पर चलने की शिक्षा देता है। वह तुम्हारे भीतर की सब बुराइयों को झाड़-फूंक कर तुम्हें स्वच्छ बनाता है और तुम्हें ईश्वर के साथ जुड़ने के लिए सक्षम बनाता है।

सबसे पहले हम खुद को शुद्ध करें। वरना हम खाना बनाने में कितनी भी स्वच्छता बरतें, वह उतना ही गंदा बना रहेगा, जितना किसी ने उसे गंदा कर दिया होगा।

आप स्त्रियों का अपमान न करें, क्योंकि वे भी वैसे ही पैदा हुई हैं जैसे कि पुरुष। हम उनसे दोस्ती करते हैं, शादी करते हैं और उनसे समागम करते हैं। हम 'सेक्स' की बुराई क्यों करते हैं जबकि राजा-महाराजा भी उसी क्रिया से जन्म लेते हैं। सभी प्राणी औरत द्वारा ही पैदा होते हैं, केवल ईश्वर (जो सत्य और वास्तविकता है) ही है, जो किसी औरत के गर्भ से पैदा नहीं हुआ।

हर कोई अपनी ही बात करता है, वह व्यक्ति बताओ जो बातों के दौरान अपनी बात नहीं करता।

हर किसी को उसके काम का फल मिलना चाहिए। हर किसी को अपने भाग्य में लिखे दायित्व को निभाना चाहिए।

यह जानते हुए कि इस धरती पर हमारी यात्रा (जीवन-यात्रा) कितनी छोटी है, हमें अपने आप पर गर्व क्यों करना चाहिए? किसी व्यक्ति से भी बुरे शब्द न बोलें और किसी मूर्ख के साथ बहस में न उलझें।

निंदा करने वाले के कटाक्ष उसके ही शरीर और आत्मा को ज़हरीला बनाते हैं। निंदा करने वाले को कोई भी शरण नहीं देगा, लोग उस पर थूकेंगे, उसे मूर्ख ही कहना चाहिए और उसे उसके जूतों से ही पीटना चाहिए। वह व्यक्ति जो मन से छली कपटी है और किसी तरह समाज में सम्मान और यश पा लेता है, ढोंगी कहलाता है। वह उस भिखारी से भी गया गुज़रा है, जो चिथड़ों में लिपटा हुआ है, लेकिन ईश्वर से जुड़ा हुआ है, वह चिन्ताओं से मुक्त है और दिल से अमीर है।

दिल में जो है, वही तो वाणी के रास्ते बाहर आएगा। यदि तुम ज़हर के बीज बोओगे, तो तुम्हें अमृत की फसल काटने की उम्मीद नहीं करनी चाहिए।

हम कभी भी ईश्वर को जान नहीं पाएंगे क्योंकि वह अनंत है। उसमें ही सभी शक्तियां हैं। वह एक की गर्दन में गुलामी की बेड़ियां पहना देता है तो दूसरे को सवारी के लिए शानदार घोड़े दे देता है, क्योंकि वह सभी कर्मों को करने वाला है, हम किसके पास जाकर शिक़ायत करें?

वह दिव्य कुम्हार है जिसने बर्तन की तरह हमारे शरीर को बनाया है। कुछ बर्तन वह स्वादिष्ट दूध से भरता है तो दूसरों को वह आग पर उबाल देता है। कुछ लोगों की क़िस्मत में सोने के लिए आरामदायक गद्दे हैं, तो कईयों को दूसरों को सोते देख-देख कर ही अपनी रातें गुज़ारनी पड़ती हैं।

हम उस महानतम की महानता का मूल्यांकन कैसे कर सकते हैं? वह परोपकारी है, वह दयालु है, वह उदार है और वह हर

किसी का अन्नदाता है। अपने कर्मों को अच्छा करो, तुम्हारा कमाया हुआ (कर्म) उसे प्रसन्न करता है। सिर्फ वही काम करो, जो प्रभु की खुशी के योग्य हो।

पुरखां बिरखां तीरथां तत्तनं मेघां खेतां...

मानवता और कुन्ज
नदी किनारे बने तीर्थस्थान
किसानों के खेतों पर मंडराते बादल
द्वीप और आकाश
महाद्वीप और ब्रह्माण्ड और सारी कायनात
वह सब जो अण्डे और गर्भ से जन्म लेता है
जो जल और पसीने से पैदा होता है
इन सबको वही अकेला जानता है

हे नानक, वह महासागरों और पर्वतों को जानता है
वह मानव-जाति को जानता है
हे नानक, वह जिसने समस्त जीवों को बनाया
वह उनका ध्यान रखेगा वह, जो बनाता है,
उसने जो बनाया, उसका उसे ख़्याल रखना चाहिए,
दुनिया की चिंताएं, जो उसने बनाईं,
उनकी परवाह उसे ही करने दो,
उसे अपनी श्रद्धा बनाओ, उसे बनाओ अपनी विजय
उसकी अदालत अनन्त सत्र में ही हो सकती है
हे नानक, यदि हमारे पास कोई सच्चा नाम नहीं,
व्यर्थ है हमारा माथे पर तिलक लगाना
व्यर्थ है हमारा पवित्र धागा (जनेऊ) पहनना भी।

सिद्ध गोष्ठ

सिद्ध गोष्ठ गुरु नानक और योगियों की मंडली के बीच हुए एक संवाद पर आधारित है, जो गुरु नानक से मिलने अचल बटाला* (पंजाब में करतारपुर के पास एक स्थान) या गोरख हातरी (सम्भवतया वर्तमान उत्तराखंड में एक स्थान)** आए थे। यह बातचीत मुख्य रूप से हठयोग की विशेषताओं से संबंधित थी, जिसका समर्थन गुरु गोरखनाथ के योग अनुयायियों और गुरु द्वारा प्रचारित नाम मार्ग (दिव्य मार्ग का शब्द) द्वारा किया गया। इस संरचना में, गुरु अपने पदों की धारणा जैसे सहज (सद्भाव या संतुलन) और सून्य (निस्सारता या शून्य) की विस्तारपूर्वक व्याख्या करते हैं। इसके साथ गुरु के व्यक्तित्व और गुरमुख (गुरु का एक अनुयायी) की व्याख्या भी करते हैं।

नानक की योगियों (राग रामकली) के साथ बातचीत का एक अंश –

योगियों ने प्रार्थना-आसन पर उच्च स्थान ग्रहण किया,
एक स्वर में बोले –

इस पवित्र मिलन के लिए हमारा अभिवादन!

मैं उसका अभिनंदन करता हूं, जो सत्य है,
नानक ने उत्तर दिया,
जो अनन्त है, जो किसी भी सीमा से परे है
खुशी से मैं अपने हाथ से अपना सिर तोड़ लूंगा
और उसके चरणों में रख दूंगा!
मैं उसे, अपना शरीर और आत्मा समर्पित करता हूं।
सत्य, हालांकि सज्जनों की सोहबत में भी मिलता है

---

* भाई गुरुदास वार-पौड़ी 39-40. पौड़ी का शाब्दिक अर्थ है सीढ़ी
** पुरात्न जन्मसाखी

और उनके माध्यम से, सहज का मार्ग,
आत्मा को आनंद की ओर ले जाता है
लेकिन जंगल (यानी अंधेरे) में चलने का उद्देश्य
   ही क्या है?
अकेले सच से ही सच्ची शुद्धि होती है सच्चे
शब्द के बिना मोक्ष नहीं मिलता

तुम कौन हो? योगियों ने पूछा, तुम्हारा नाम क्या है?
कौन सा मार्ग तुम्हें आगे बढ़ाएगा?
तुम्हारे जीवन का उद्देश्य क्या है?
हम सब को प्रार्थना के बारे में सब सच बताओ,

'ईश्वर के बंदों के लिए मेरा जीवन न्योछावर होगा।'
नानक ने श्रद्धा से उत्तर दिया।

तुम्हारा स्थान कहां है? योगियों ने दृढ़ता से पूछा
पुत्र, तुम्हारा निवास कहां है?
तुम कहां से आए हो?
तुम कहां जाओगे? तुम किधर को बढ़ोगे?
तुम एक भटकते साधु बनने के लिए दुनिया त्यागने
   को बाध्य हो जाओगे!
तुम कौन सा मार्ग पकड़ोगे, हमें बताओ।
   हम प्रार्थना करेंगे।

वह, जो हर मन में वास करता है
उसके दिल में मैंने अपना स्थान बनाया है,
   नानक ने उत्तर दिया।
जिस किसी भी दिशा में, जाने का सतगुरु से
   मुझे आदेश होगा

वही मार्ग है, मैं जिस पर चलूंगा।
विनम्रता से, मैं ईश्वर की ओर से आया हूं
और ईश्वर के पास ही लौट जाऊंगा
नानक हमेशा अपनी इच्छा से ही जिएगा,
मेरा स्थान है मेरी पूजा का आसन
मैं अमर नारायण की पूजा करता हूं
यही मेरे गुरु ने मुझे शिक्षा दी है,
गुरु के माध्यम से ही, मैं स्वयं को जान सका
और सच्चों में सबसे सच्चे से विलय कर सका

तो फिर तुम किसी एक के बारे में बताओ,
    चरपत योगी ने कहा
वे कहते हैं, संसार एक अशान्त समुद्र की तरह है
समुद्र, जिसे कोई पार नहीं कर सकता
तब हम दूसरा कोई किनारा कैसे पा सकते हैं?
नानक, संसार से अलग होकर ही तुम जी सकते हो
अपनी समस्या पर विचार करो और सही उत्तर दो

नानक ने उत्तर दिया, जब कोई इस रूप में
    प्रश्न करता है
कि प्रश्न में ही उसका उत्तर छिपा हो,
तो ऐसे प्रश्न का कोई क्या उत्तर दे सकता है?
यदि तुमने दूसरे किनारे पर पहुंच जाने का दावा
    किया है
तो इस समस्या पर और अधिक क्यों विचार
    करते हो?
जैसे पानी में रह कर भी कमल गीला नहीं होता
न ही पानी में रहने वाला कोई पक्षी गीला होता है अपने

गुरु के शब्दों पर ध्यान दो, और
तब नानक ने कहा, अपने प्रभु के पास जाने के लिए
　　सांसारिक समुद्र पार करो
वह, जो भीड़ में अकेला रह सकता है
इच्छाओं की भीड़ में भी जिसकी कोई इच्छा नहीं
जिसने कठिन को भी आसान बनाया है
जो सर्वज्ञानी है
जिसके अपने पास तो दृष्टि है ही,
जो दूसरों को राह सुझाता है
नानक ऐसे प्रभु का गुलाम है।

मालिक! मेरी बात सुनो, एक ने कहा मेरी विनती है,
मेरे प्रश्न से उत्तेजित न हों,
कोई गुरु के द्वार पर कैसे पहुंच सकता है?
मैंने इस समस्या के बारे में बहुत सोचा है,
　　मैं तुम्हें सच बताता हूं
हमारा मन बेचैन है, नानक ने कहा
प्रभु के नाम से ही इसे आराम मिलता है
तब इसे सच्चा निवास और आराम का स्थान मिलता है
रचयिता ने इसे अपने साथ जोड़ा,
और इस तरह सत्य के लिए प्रेम पैदा किया
　　(प्रभु की कृपा से)

शहर के राजमार्ग और दुकानें दूर रखो
जंगल में पेड़ों के बीच जाओ और वहां रहो
जंगली जड़ों और बेरों का भोजन करो,
ज्ञानी जो जानते हैं, कहते हैं कि यही है रास्ता जाओ,
शान्ति के फल तोड़ो

संसार की बुराई, तुम्हें दूषित (मैला) नहीं करेगी
यदि तुम ईश्वर से जुड़ना तुम्हारा लक्ष्य है तो,
गोरखनाथ के पुत्र लेहारिया कहते हैं –
तुम देखोगे कि जीने का यही एकमात्र मार्ग है।

दुकानों और राजमार्गों पर तुम रह सकते हो
सिर्फ सजग रहो और झपकी न लो
अपने मन के वश में न रहो और न अपना
ध्यान केंद्रित करो
पत्नी की ओर या किसी अंजाने व्यक्ति की सम्मति की ओर
बिना नाम लिए और मन को लगाए (प्रभु की ओर)
तुम स्थिर नहीं रह सकते,
न ही दुनिया उत्कंठा से कभी मुक्त हो सकेगी,
नानक कहते हैं, मेरे गुरु ने मेरे दिल के भीतर ही,
शहर और दुकानों के दर्शन कराए हैं
वहां मैं आसानी से और सच्चाई से व्यापार कर सकता हूं
कहते हैं – तप का सार, समझ में आना चाहिए
बहुत अधिक सोने और बहुत अधिक खाने से बचो

दर्शनशास्त्र के विद्यालयों की जांच करो
उसी का चुनाव करो जो श्रेष्ठ है
अपने कानों में बालियां डालो और
अपने ऊपर संन्यासी का अंगरखा ओढ़ो
भिक्षापात्र लो, बारह आदेशों में से एक चुनो
छः विद्यालयों में से एक चुनो
यदि तुम मेरी सलाह मानोगे, मेरे पुत्र!
तो भाग्य की मार से बचे रहोगे
ज्ञानी दिव्य मिलन के लक्ष्य को पा जाता है

तुम्हारे भीतर हमेशा दिव्य शब्द हों
अपने अहं पर विजय पाओ,
सांसारिक चीज़ों से लगाव ख़त्म कर दो
गुरु के शब्द, तुम्हें विजय पाने में सहायक होंगे
अहंकार पर, वासना और क्रोध पर
पैबंद लगे अंगरखे और भिक्षापात्र के क्या अर्थ हैं?
बेहतर है यह जानना कि ईश्वरीय भावना हर जगह व्याप्त है
वह सत्य है, उसका नाम सत्य है।
मैंने गुरु के शब्दों को परख कर यह नतीजा निकाला
कि अपने भिक्षापात्र को उलटा करने की अपेक्षा
सांसारिक वस्तुओं से नाता तोड़ लो
अपने सिर पर योगी की टोपी पहनने से बहुत फायदा
    नहीं होगा।
पांच तत्त्वों में से उनकी गुणवत्ता ग्रहण करो
धूल–मिट्टी से बचने के लिए, गद्दा बिछाने की अपेक्षा
बेहतर है कि तुम अपने कर्मों की शुद्धता से अपना
    शरीर साफ़ करो
अपनी लालसाओं को परखने के लिए,
उन पर लगाम लगाने की बजाय अपने मन को शुद्धता
    की ओर मोड़ दो
सच्चाई, धैर्य और आत्म-नियंत्रण हमेशा तुम्हारे
    मार्गदर्शक हों
नानक कहते हैं, अपने गुरु से शिक्षा लो
नाम (प्रभु का) हमेशा अटल रहता है

जगत की सब वस्तुओं में कौन है?
स्वर्ग के द्वार तक कौन पहुंचाता है?
किसके शरीर और आत्मा, ईश्वर से मिलते हैं?

जन्म के समय किसको जीवन मिलता है?
मनुष्य की मृत्यु पर कौन मरता है?
किसकी भावना तीन क्षेत्रों में व्याप्त होती है
पाताल, धरती और आकाश?

जगत की सब वस्तुओं में ईश्वर है।
जो प्रभु की सेवा करते हैं,
वही स्वर्ग के द्वार को पाते हैं
जिनके शरीर और आत्माएं
दिव्य शब्दों के साथ व्याप्त हैं
ईश्वरीय प्रकाश से उनका प्रकाश मिला दो
बुरा कर्म करने वाले नष्ट हो जाते हैं (और) मरने के लिए
ही दूसरा जन्म लेते हैं
ईश्वर के प्रिय लोग, सच्चे प्रभु में मिल जाते हैं।

कुछ लोगों के लिए ही सांसारिक बंदिशें क्यों हैं?
वे अपने आपको क्यों माया (भ्रम) के सांप द्वारा निगलने
   देते हैं
आत्मा कैसे गुम हो जाती है? वह कैसे मिल जाती है?
एक इंसान कैसे शुद्ध होता है,
मन का अंधेरा कैसे दूर होता है?
यदि तुम इनके सही–सही उत्तर दे दोगे तो,
हम तुम्हें अपना गुरु स्वीकार कर लेंगे

क्योंकि बुरे विचारों के कारण हम सांसारिक मूल्यों से
   बंधे होते हैं
हम अपने आपको माया सर्प के पेट में फेंक देते हैं।
बुराई करने वाले लोग अपनी आत्मा को खो बैठते हैं
   और धर्म से ही उसे पाया जाता है

जिन्हें सतगुरु मिल जाता है, उनके मन के अंधेरे दूर
हो जाते हैं।
वे अपने अहं को समाप्त कर देते हैं और ईश्वर में उनका
विलय हो जाता है

यदि तुम सुनया की अवस्था में स्वयं को स्थिर कर लेते हो,
एक योगी ने कहा, तो तुम्हारी आत्मा, हंस सरीखी हठी
उड़ान को रोक देगी। तुम्हारा शरीर जर्जर दीवार के समान
नहीं होगा कि टुकड़े-टुकड़े होकर गिरे और समाप्त हो जाए।

सहज गुफा की शान्ति में
तुम सच्चे प्रभु को तलाश सकते हो
नानक कहते हैं, सच्चे प्रभु सच्चे मनुष्यों से प्रेम करते हैं

किसने तुम्हें घर छोड़ने के लिए प्रेरित किया
और तुम एक घुमक्कड़ उडासी (एक संत जिसने संसार
को त्याग दिया) बन गए?
तुम एक संन्यासी का चोला क्यों पहनते हो?
तुम्हारे गोदाम में कौन सा माल है?
तुम हमें दूसरे किनारे कैसे ले जाओगे?

संत पुरुषों की तलाश में
मैं एक घुमक्कड़ उडासी बन गया
दिव्य दृष्टि प्राप्त करने की आस में
मैंने यह संन्यासी चोला पहना
मेरे पास स्टोर में व्यापार लायक 'सच' पड़ा है
नानक कहते हैं, पुण्य से ही हम दूसरे किनारे उतरेंगे

हे मानव! किन उपकरणों से तुमने अपने क़िस्मत का
   लिखा बदल दिया?
तुमने कैसे एकचित्त हो इस लक्ष्य का पीछा किया?
तुमने कैसे सांसारिक आशाओं और इच्छाओं का
   त्याग किया?
तुमने कैसे अपने भीतर दिव्य प्रकाश को पाया?
एक मनुष्य जो योग नहीं जानता, वह दंतहीन मानव
   के समान है
जीवन इस्पात की तरह कठोर है, वह इसे कैसे काट
   सकता है और जीवित रह सकता है?
नानक, इन प्रश्नों पर विचार करो और इनके
   सही उत्तर दो।

चूंकि मैं सतगुरु के घर में पैदा हुआ था इसलिए,
मैं मृत्यु और पुनर्जन्म के चक्र से बच गया।
मेरे भाग्य का लिखा इस प्रकार बदल गया,
मैंने दिव्य संगीत सुना और मोहित हो गया
और अपनी खोज में एकचित्त हो गया
अपनी सांसारिक आशाएं और आकांक्षाएं मैंने जला डालीं,
दिव्य शब्द की आग में, मैं गुरु की ओर मुड़ गया
अपने भीतर जलती दिव्य रोशनी की प्राप्ति के लिए
धर्म–सिद्धांत और उसके तीन गुणों को समाप्त कर दो
और तुम्हारे वे दांत उग आएंगे जो इस्पात काट सकते हैं।
नानक कहते हैं, वह खेवनहार हैं, वही तुम्हें मोक्ष की ओर
   ले जाएगा।

सृजन (संसार) की शुरुआत के संबंध में तुम्हारे क्या
   विचार हैं?

फिर अवचेतन रचयिता कहां रहता है?

ज्ञान की सबसे पहली झलक क्या थी?

समग्र रूप से हमारा मन किन नियमों का पालन करता है?

मृत्यु के भयंकर दाग को हम कैसे जला सकते हैं?

हम अपनी मृत्यु के भय से कैसे मुक्त हों?

हम सहज का आसन और सन्तोष कैसे प्राप्त कर सकते हैं?

किस तरह हमारे शत्रु समाप्त हो सकते हैं?

गुरु की वाणी से अहंकार के ज़हर को समाप्त किया
    जा सकता है

वहां तुम्हें आराम करने की असली जगह मिलेगी।

वह, जो शब्द के माध्यम से इस सृजन (संसार) के रचयिता
    को जान सकता है।

नानक गुलाम बनकर उसी की सेवा करेगा, क्योंकि उसे
    आशीर्वाद प्राप्त है।

इंसान कहां से आता है?

मृत्यु होने पर वह कहां जाता है?

मोक्ष प्राप्त कर लेने पर वह कहां विश्राम करता है?

जो इन प्रश्नों के उत्तर दे सकता है, वह मनीषी है।

गुरु, जो कभी असफल न हुआ हो, गुरु जो मित्र के
    बिना हो।

हम अनकहे की सच्चाई का पता कैसे लगा सकते हैं?

हम गुरु के शब्दों (वाणी) के प्रति कैसे प्रेम विकसित कर
    सकते हैं?

नानक, इन प्रश्नों पर अपने विचार बताओ।

रचयिता अपनी सृजना का मूल्यांकन कैसे करता है?

दिव्य आदेश से मनुष्य इस संसार में आता है
दिव्य आदेश से ही वह इस संसार से विदा होता है।
दिव्य आदेश से ही उसका प्रभु से मिलन होता है।
सत गुरु से वह सच की कमाई करना सीखता है।
दिव्य वाणी से वह मोक्ष प्राप्त करता है।

किसी शुरुआत का आरंभ कल्पना को डगमगा देता है,
इसका अवर्णनीय आश्चर्य के रूप में वर्णन किया जा
    सकता है।
सुनया की गहन शांति में,
भगवान अपने भीतर समा जाने के लिए आते हैं।

गुरु के निर्देश से, तुम इच्छाओं से मुक्त हो सकते हो,
इच्छाओं पर विजय पाकर तुम एक मिसाल बनो यह जानो,
कि हर दिल जो धड़कता है
उसमें जीवन के स्वामी का वास होता है।

गुरु की शिक्षाओं के माध्यम से ही हम निराकार में
    मिल जाते हैं
सहज के कोमल मार्ग से ही सबसे निर्मल,
ईश्वर से मिला जा सकता है
नानक कहते हैं, यह तय है कि जो शिष्य
अपने गुरु की सेवा करता है,
केवल वही सफलता पाता है
वह, जो दिव्य-आदेश से कोई प्रश्न नहीं करता,
उसे दृष्टव्य से परे एक आश्चर्य के रूप में स्वीकार
    करता है।
वही, सब पदार्थों और सब प्राणियों की सच्चाई को
    समझ पाएगा

जो, अपने अहंकार को नष्ट कर देता है,
जिसके हृदय में सत्य का वास है,
वही सच्चा योगी है
वह निराकार है, निष्कलंक है
वह निर्गुण (गुण के बिना) से
सगुण-गुणों वाला बन जाता है

इसके बाद, सिद्ध गोष्ठी का प्रश्न और उत्तर का यह स्वरूप थोड़ा उलझन में डाल देता है। वहां कई बार अपने आपमें बोलने, दोहराव और प्रश्न के बाद आगे और प्रश्न से बाधा पहुंचती है। इसलिए मैंने लम्बे वाक्यों को छोटा करने और कुछ गिने-चुने वाक्यों को ही पुनः पेश करने का विचार किया –

नानक कहते हैं कि गुरु की सेवा करने का इनाम ईश्वर से मिलने के रूप में मिलता है। इसे सच के ज्ञान, शंकाओं और द्वन्द्व को दूर करके और इच्छाओं पर विजय हासिल करके प्राप्त किया जा सकता है। संत जैसे लोगों का भगवान के साथ पुण्य मिलन होता है, जबकि अपनी मर्ज़ी करने वाले मनुष्य, बिना गुरु के निर्देश की सहायता से, अपना जीवन बिताते हैं। वे बुराई के रास्ते पर ठोकर खाते हैं, उनका ईश्वर से मिलन नहीं होता और वे मृत्यु और पुनर्जन्म के चक्कर में फंसे रहते हैं।

संत लोग (गुरमुख) न सिर्फ अपने लिए 'ईश्वरत्व' प्राप्त करते हैं, बल्कि वे दूसरों को भी नैतिक ईमानदारी का मार्ग चुनने के लिए निर्देशित और प्रभावित कर सकते हैं। ईश्वर से मिलन के लिए यह ज़रूरी नहीं है कि संन्यास या ब्रह्मचर्य लिया जाए, कोई अपना दैनिक कार्य और पारिवारिक ज़िम्मेदारियां निभाते हुए भी प्रार्थना और भक्ति का जीवन बिता सकता है।

मोक्ष का रास्ता दैवीय शब्द (शबद) और ईश्वर का नाम जपने (नाम सिमरन) से मिलता है। जो इंसान प्रभु के नाम से

रंगा हो, वह अपने अहंकार पर विजय पा लेता है और ईश्वर से जुड़ कर मोक्ष को प्राप्त करता है। ईश्वर के नाम में स्वयं को रंगना, तपस्या करने, तंत्र-मंत्र की शक्तियां प्राप्त करने और किताबी ज्ञान से ज़्यादा फलदायक होता है।

'जीवन कैसे शुरू हुआ?' एक योगी ने पूछा —

'हम अपनी पहली सांस के साथ जो वायु अपने अंदर लेते हैं, उससे,' नानक ने उत्तर दिया।

'तुम हर किसी को गुरु धारण करने के लिए प्रेरित करते हो,' दूसरे ने कहा, 'तुम्हारा गुरु कौन है?'

नानक ने उत्तर दिया, 'शबद' या दिव्य शब्द मेरा गुरु है। शब्द के माध्यम से मैं बड़े प्रेम से ईश्वर की पूजा करता हूं। शब्द के द्वारा ही मैं ईश्वर को जानता हूं, शब्द से ही मैं दुनियावी मूल्यों से प्रभावित हुए बिना, इस संसार में रहता हूं, शब्द मुझे मेरे अहं पर विजय पाने में सहायता करता है।

'यदि हमारे दांत मोम के बने हों, तो वे इस्पात को कैसे काट सकते हैं?' योगियों ने पूछा, जिनका मतलब था कि मोक्ष का मार्ग बहुत कठिन है और आत्मसंयमी को संयम से अपने आपको फौलाद बना लेना चाहिए, ताकि वह इस मार्ग पर चलने में समर्थ हो।

कोई व्यक्ति बर्फ के घर में कैसे रह सकता है, जबकि उसके कपड़े जल रहे हों? उन्होंने पूछा, जिसका अर्थ था कि चूंकि हमारी आत्मा शरीर में क़ैद होती है, इसलिए उसके पास मोक्ष का अवसर बहुत कम होता है। 'वह गुफा कहां पाई जा सकती है, जहां मन 'शान्त हो सकता है?' योगियों ने पूछा।

नानक ने उत्तर दिया — 'यदि तुम अहंकार, शंका और झूठ को झाड़-फूंककर शुद्ध कर दो, तो तुम्हारे वैसे दांत उग आएंगे जिनसे तुम फौलाद को काट सकते हो। जुनून की आग को हमारे भीतर की ईश्वरीय चेतना से बुझाया जा सकता है। ईश्वर का भय अहंकार को नष्ट कर देता है। जैसे ही दैवीय शब्द (शबद)

और ईश्वर, दिल में स्थान पाते हैं, दिमाग़ और शरीर साफ़ हो जाते हैं, काम और क्रोध की ज़हरीली आग बाहर निकल जाती है और इस तरह आदमी भगवान की कृपा प्राप्त करने के लिए तैयार हो जाता है।'

योगियों ने गुप्त शब्दों में प्रश्न करना जारी रखा – 'चन्द्रमा की रोशनी कहां से आती है, जो कि स्वयं ही हिम और छाया का घर है और सूर्य कहां से दिलों को भेदने वाली गर्मी प्राप्त करता है? मन (चंद्रमा) और तर्क (सूर्य, जो कि ज्ञान का प्रतीक है) किस तरह मृत्यु के डर पर विजय पाते हैं?'

नानक ने उत्तर दिया – 'शब्द को बार-बार दोहराने से दिमाग़ रोशन हो जाता है, गुरु से सुख और दुःख दोनों का समान रूप से आनंद लेना सीखो तो मृत्यु का भय समाप्त हो जाएगा। सबसे बढ़कर नामा (ईश्वर का नाम) को जानो। नामा की सहायता से मृत्यु के भय और दुःख पर विजय पाओ, शंका दूर करो और द्वन्द्व पर जीत हासिल करो। नामा को पूजो जैसे तुम सांस लेते हो, तब तक जब तक कि सांस लेना वीणा न (एक पुराना वायु यंत्र) बन जाए। फिर एक वज्रपात के साथ दसवां छिद्र खुल जाएगा (मानवीय शरीर में नौ छिद्र होते हैं) और अनंत प्रकाश बाढ़ की तरह अंदर आ जाएगा। इस तरह, धीरे से तुम ईश्वर में मिल जाओगे। तुम सुनया को पा लोगे, जो कि चौथी अवस्था भी है – हुरिया अवस्था। सुनया आंतरिक और बाहरी शांति है और तीनों क्षेत्रों में व्याप्त है। सुनया की अवस्था में ही एक मनुष्य की पहचान ईश्वर से होती है।'

जिन लोगों ने सुनया प्राप्त कर ली है, उनकी स्थिति के बारे में पूछताछ का उत्तर देते हुए नानक ने कहा, 'वे रचयिताओं की तरह हैं जिन्होंने उन्हें जन्म-मृत्यु और पुनर्जन्म के चक्र से परे पैदा किया है, वे ढोल की थाप सुनते हैं, जिसे हाथ से नहीं बजाया जाता और वे अनन्त के मेल में है।

गुरु ने आगे गुरमुख (जो अपनी विनम्रता के साथ एक गुरु का मार्गदर्शन स्वीकार करता है) और मनमुख (जो दम्भ में जलता है और जिसे कभी भी सच के सार का ज्ञान नहीं होता) के बीच के अंतर को स्पष्ट किया।

उन योगियों ने नानक से उनके अपने विश्वासों की वैधता पर प्रश्न किया — वह कौन सा मंत्र है जिससे एक मनुष्य जीवन के भयंकर सागर को पार कर जाता है? मनुष्य की सांसें (जीवन) जैसा कि योगी मानते हैं, जब बाहर की ओर फेंकी जाएं तो नथुनों से दस अंगुल दूर तक जाती हैं, कहां रहती हैं? दिमाग़ को संतुलित कैसे रखा जा सकता है? हम उस चीज को कैसे देख सकते हैं, जिसे दृष्टि की सीमा से परे माना जाता है?

गुरु ने उत्तर दिया, 'दिव्य मंत्र हमारे भीतर ही है। ईश्वर वायु की तरह अदृश्य है। ईश्वर निर्गुण और सगुण पैदा हुआ है। मन शुद्ध और स्थिर हो जाता है, जब इसमें नामा का वास हो जाता है। गुरु तुम्हें बताएगा कि जीवन का भयानक सागर कैसे पार करना है और गुरु यह प्रमाणित करता है कि जीवन में रहने वाला ईश्वर भी वही है, जो जीवन के बाद है। ईश्वर का न कोई रूप है, न रंग और वह किसी छाया में नहीं ढलता। वह भ्रामक नहीं है। हमारे जीवन को (बाहर छोड़ी गयी सांस, जैसा कि योगियों ने कहा) ईश्वर ने निरंतरता दी है।

अदृश्य और अनंत भगवान को खोजने के लिए यह महत्वपूर्ण है कि हम प्रकृति के गुणों और क्रियाओं (सात्विक, राजसिक और तामसिक)* से शब्द के माध्यम से तीन गुणा ऊपर उठे, अहंकारी और घमंडी दिमाग़ से पार पाएं, ईश्वर को एक ही मालिक के रूप में स्वीकार करें और उसके लिए प्रेम विकसित करें। तब, उसकी कृपा से, हमें उसके साथ मिलने का अद्भुत अनुभव होगा।'

---

* क्रमशः शुद्ध, भौतिक इच्छा व आलस

'यदि वायु जीवन का मूल पदार्थ है तो,' योगियों ने पूछा, 'हवा स्वयं कहां से पदार्थ प्राप्त करती है?'

'शब्द जीवन का सच्चा पदार्थ है,' नानक ने कहा। गुरु ने तब प्रार्थना, आत्म-संयम, सच और ईश्वरीय कृपा पर अपने विचारों का खुलासा किया। 'सच की भूख, दूसरी भूखों को खा जाती है और दुःख को मिटा देती है,' नानक ने आश्वस्त किया।

योगियों ने प्रश्न करना जारी रखा – 'जब न दिल था, न देह तब दिमाग़ और सांस कहां रहते थे?'

'शून्य' की शांति में', नानक ने उत्तर दिया, 'सश्जन (संसार के सृजन) से पहले हर कोई और हर वस्तु ईश्वर का एक अंग था। अनकही कहानियों में यह सबसे महान है।'

'फिर हमें यह बताओ कि यह संसार कैसे अस्तित्व में आया', उन्होंने पूछा।

नानक ने उत्तर दिया –

दुनिया अहंकार के भीतर से निकली।
जब यह नाम भूल जाता है, तो दुःख भुगतना पड़ता है।
सन्तों की तरह ज्ञान पर विचार करो
उन्होंने दिव्य शब्द की आग में अपने अहं को जला दिया है।
उनका शरीर और आत्मा निर्मल हो गए हैं और उनकी
वाणी शुद्ध।
वे सच्चे प्रभु में मिल गए हैं।
प्रभु के नाम के माध्यम से (जो अनाम है), किसी को
अनासक्ति प्राप्त होती है
और किसी के मन के अंदर सच स्थापित होता है।
नाम के बिना, कोई मिलन नहीं हो सकता।
इसे अपने मन और दिमाग़ में विचारो।

उसके बाद गुरमुख के गुणों पर ईश्वर से जुड़ने में शब्द और नामा के महत्त्व पर और मार्गदर्शक के रूप में सतगुरु की भूमिका पर, गुरु ने अपने विचार बताए।

ईश्वर की प्रशंसा और प्रभु के नाम के उपहार के लिए प्रार्थना के साथ सिद्ध गोष्ठी समाप्त हो गई।

8

गुरु नानक और गुरु गोबिंद सिंह

...यह थोड़ा आश्चर्यजनक है कि नानक धर्मात्मा लोगों के राजा या शाह के रूप में प्रतिष्ठित हैं – हिंदुओं के गुरु और मुसलमानों के पीर। गुरु गोबिंद सिंह... कई गुणों का दुर्लभ संगम थे, जिन्होंने अपना जीवन अत्याचार से लड़ते हुए न्योछावर कर दिया और वे एक पथ-प्रदर्शक थे, जो अपने अनुयायियों को अपने साथियों के रूप में भी देखते थे और अपने बराबर भी।

गुरु नानक

सम्वत् (एक हिंदू कैलेंडर) में वैसाख माह में पूर्ण चंद्रमा की रात – मेहरवान द्वारा रचित गुरुनानक की जन्म साखियों (गुरु नानक के जन्म की कहानियां) के मुताबिक तलवंडी राय भोई* के मेहता कल्याण दास

---

* पाकिस्तान में लाहौर के निकट स्थित इस जगह को अब ननकाना साहिब कहा जाता है।

बेदी की पत्नी, तृप्ता प्रसव पीड़ा में थी। रात का तीन चौथाई हिस्सा बीत चुका था। उत्तरी आकाश में सुबह का तारा चमक रहा था। यह भोर की बेला थी, जब उन्होंने अपने दूसरे बच्चे, एक पुत्र को जन्म दिया। इस तरह नानक का जन्म दिन 15 अप्रैल, 1469 पड़ता है। फिर भी, एक पुरानी परम्परा का निर्वाह करते हुए, यह अवसर नवम्बर महीने की पूर्णमासी के दिन मनाया जाता है। उन्हें 'नानक' नाम इसलिए दिया गया, क्योंकि उनका जन्म अपने नाना-नानी के घर यानी नानके में हुआ था, जो या तो कलमा कच्चा या चालेवाल, लाहौर (अब पाकिस्तान में) के एक जिले के दो गांवों में स्थित था।

नानक विलक्षण बालक थे; वे बहुत लड़कपन में ही मुस्कराने और बैठने लगे थे। जब वह मात्र पांच साल के थे, लोगों ने महसूस किया कि वे दूसरे बच्चों के साथ नहीं खेलते थे, लेकिन उनके मुंह से अपनी उम्र से कहीं ज़्यादा बुद्धिमानी के शब्द निकलते थे। लोगों की प्रतिक्रियाएं दिलचस्प थीं। जिस किसी ने भी उनके बारे में सुना, हिंदू या मुस्लिम, सबको विश्वास था कि उस छोटे बालक के मुंह से स्वयं भगवान बोलते हैं। नानक के बड़े होने के साथ-साथ यह विश्वास भी पुख़्ता होता चला गया।

सात साल की उम्र में, नानक को शिक्षा के लिए एक पंडित (ज्ञानी) के पास भेजा गया। नानक ने पूरी स्थिति को उलट कर रख दिया और उनके शिक्षक के साथ, उनका प्रवचन, श्री रागा में एक सुंदर श्लोक का आधार बना।

> असली शिक्षा ईश्वर की आराधना है, बाकी सब व्यर्थ है। रचयिता को न जानने वाला ज्ञान, और कुछ नहीं सिर्फ एक व्यक्ति की गर्दन में पड़ा अज्ञानता का फंदा है। जो व्यक्ति इस दुनिया में ईश्वर का नाम जपेगा, वह अगले जन्म में इसका इनाम पाएगा।
>
> क्या आप जानते हैं कि इंसान इस दुनिया में कैसे आता और क्यों आता है और क्यों चला जाता है? क्यों कुछ लोग अमीर होते हैं और कुछ गरीब? क्यों कुछ लोग शाही जीवन पाते हैं और

कुछ दर-दर भीख मांगते हैं? और क्यों भिखारियों में भी कुछ को भीख मिलती है, कुछ को नहीं? पंडित, मैं तुम्हें बतलाता हूं कि इस जीवन में जिन लोगों ने सत्ता और ऐशो-आराम भोगा है और ईश्वर का गुणगान नहीं किया, वे अवश्य ही सज़ा के भागीदार होंगे, जैसे एक धोबी कपड़ों को पत्थर पर पटक-पटक कर धोता है, वैसे ही उन्हें (ईश्वर का स्मरण न करने वाले को) भी पटका और पीटा जाएगा, जैसे एक तेली, तिलहन में से तेल निकालने के लिए उन्हें सिलबट्टे पर रगड़ता है, वे भी रगड़े जाएंगे, जैसे एक चक्की वाला दो पाटों में अनाज के दानों को पीसता है, वे भी पीसे जाएंगे। दूसरी तरफ, वे लोग जो भीख मांग कर अपना गुज़ारा करते हैं, और ईश्वर की पूजा-अर्चना करते हैं, उचित सम्मान पाएंगे और न्याय की दिव्य अदालत में पुरस्कार पाएंगे।

जिस व्यक्ति को ईश्वर का भय है, वह सभी भयों से मुक्त है। जिस व्यक्ति को ईश्वर का भय नहीं वह मिट्टी में मिल जाएगा। फिर चाहे वह राजा हो या आम आदमी, अगले जन्म में नरक की पीड़ा झेलने के लिए पैदा होगा। कपट से कमाया हुआ धन अपवित्र हो जाता है। एक मात्र सत्य है ईश्वर। हमारा प्रेम सिर्फ ईश्वर के प्रति होना चाहिए, जो अनश्वर है, अमर है। जो नश्वर है, जिसे नष्ट होना है, उससे प्रेम कैसा? पुत्र, पत्नी, सत्ता, धन, जवानी, सब नष्ट होने और मृत्यु को प्राप्त होने के लिए बने हैं।

(मेहरवान* रचित जन्मसाखी)

एक साल बाद, नानक को अरबी भाषा और दूसरे विषय पढ़ने के लिए गांव की मस्जिद में भेजा गया। यहां भी, नानक ने अपने शिक्षक को हैरान कर दिया –

मुल्ला ने 'अलिफ़' से 'ये' तक अरबी लिपि लिखी। नानक ने

---

* गुरु अर्जुन दास के बड़े भाई, बाबा पश्थी चन्द के पुत्र, मेहरवान

तुरन्त ही अरबी भाषा के शब्द लिखने और बोलने में महारत हासिल कर ली और कुछ दिनों में ही गणित, लेखा-प्रणाली और दूसरे सभी विषय सीख लिए, जो मुल्ला उन्हें सिखा सकता था। मुल्ला हैरान रह गया – 'हे भगवान! दूसरे बच्चे दस साल बाद भी ठीक से नहीं सीख पाए और एक से दूसरा शब्द नहीं बता पाते और इस बालक ने अल्लाह की मेहरबानी से कुछ ही दिनों में सब कुछ सीख लिया!

(मेहरवान रचित जन्मसाखी)

नानक बहुत 'मूडी' बालक थे और कभी-कभी तो वे कई दिनों तक किसी से बात नहीं करते थे। वे प्रकृति की अद्भुत घटनाओं को देख, विचारों में लीन, जंगलों में भटकते फिरते थे। मधुमक्खियों और तितलियों के साथ वसंत ऋतु का आगमन, दिलों को झुलसा देने वाली गर्मियों का मौसम, जिससे सारी वनस्पतियां सुलग जातीं और उसके बाद मानसून का मौसम, जिससे चमत्कारिक ढंग से जीवन वापस लौट आता और हर तरफ़ हरियाली छा जाती और पक्षियों व जंगली जानवरों के रहने के तौर-तरीक़े, युवा नानक के दिमाग़ को हैरान कर देते। वे रचयिता, संरक्षक और विनाश करने वाले की विशेषताओं पर चिंतन-मनन करते और हिंदू और मुसलमान, दोनों के धार्मिक अनुष्ठानों के परिणामों के संबंध में प्रश्न करते।

जब वे केवल नौ साल के थे, नानक को पवित्र धागा, जनेऊ पहनाने आए एक ब्राह्मण से उन्होंने पूछा, 'यदि यह पवित्र धागा गुम हो जाए तो क्या ब्राह्मण और क्षत्रिय लोगों का भगवान पर से विश्वास भी गुम हो जाएगा? उनका विश्वास इस पवित्र धागे से कायम है या उनके कर्मों से?

जल्दी ही, नानक अपने माता-पिता से भी निराश हो गए। उन्होंने किसी भी तरह का काम करने से इनकार कर दिया। अगर उन्हें जानवरों को चराने भेज दिया जाता, वे दूसरों के खेतों में चरने के लिए उन्हें

खुला छोड़ देते, यदि उन्हें व्यापार करने के लिए पैसा दिया जाता, तो वे उसे ग़रीबों और भूखों में बांट देते। उनकी माता और उनकी बहन और गांव के वे लोग, जो नानक के कई चमत्कारों के गवाह थे, उनके पिता के गुस्से से उन्हें बचाते थे।

सोलह साल की उम्र में नानक की शादी, बटाला निवासी मूलचंद सोना की बेटी सुलक्खणी से हो गई। उनके दो बेटे थे, श्रीचंद और लक्ष्मीदास और शायद एक बेटी या बेटियां जिनकी बहुत छोटेपन में ही मौत हो गई। पारिवारिक जीवन अधिक देर तक नानक के ध्यान को दूसरी ओर नहीं मोड़ सका। उनका 'मूड' अचानक उन पर हावी हो जाता और वे कई दिनों तक एकदम चुप हो जाते और फिर ईश्वर, मनुष्य, मृत्यु, रीति-रिवाज़ों और नैतिक मूल्यों जैसे विषयों पर बहस करने लगते। वे अभी भी आजीविका कमाने के प्रति उदासीन थे, जैसे कि वह एक पति और पिता होने से पहले थे।

जुलाई की एक शाम (मेहरवान की जन्म साखी के अनुसार) तलवंडी पर मानसून के गहरे काले बादल छा गए और झमाझम बरसने लगे। रात में आकाश में बिजलियां चमकने लगीं और एक भयंकर तूफ़ान का डर फैल गया। नानक ईश्वर की प्रशंसा में भजन गाने लगे। उनकी माता उनके पास आईं और बोलीं, 'बेटा, यह तुम्हारे सोने का समय है।' उसी समय कोयल ने पीयूह-पीयूह कहा और नानक ने उत्तर दिया, 'मां, जब मेरा शत्रु जाग रहा है तो मैं कैसे सो सकता हूं?'

लोगों के सामने यह स्पष्ट हो गया कि सच की खोज में, नानक को एक संन्यासी का रास्ता पकड़ने में अधिक देर नहीं है। जब एक बार, साधुओं का एक दल, तलवंडी से होकर तीर्थस्थान की ओर जा रहा था, तो नानक की माता ने नानक के सामने अपने मन की बात उजागर की – 'मैं जानती हूं कि इन्हीं दिनों तुम भी मुझे छोड़ कर तीर्थ यात्रा पर निकल जाओगे। मैं कोई शिकायत नहीं कर रही, लेकिन मैं जानना चाहती हूं कि तीर्थ स्थानों पर जाने का फायदा क्या है?'

'कुछ नहीं', नानक ने स्पष्ट उत्तर दिया, 'हमें अपने शरीर में ही मंदिर बनाना है, माया (भ्रम) से अपने मन को मुक्त करना है, बुराई

को ख़त्म करना है और अपने सृजक को धन्यवाद देना है। यह अड़सठ तीर्थ-स्थानों पर स्नान करने के बराबर है।' 'तब इन साधुओं से कहो कि वे ग़लती का मार्ग जारी न रखें,' नानक की माता ने कहा, 'उन्हें बताओ कि वे अपने घरों में भी ईश्वर को पा सकते हैं।'

'हर व्यक्ति को अपना मार्ग चुनने दो। मैं उनके ढंग के बारे में अपना सिर क्यों खपाऊं?' नानक ने उत्तर दिया।

बसंत में, जंगलों की सुंदरता अपना सामान्य जादू बिखेरती है। लेकिन नानक के लिए, अब सुंदरता से गुस्सा झलकता था, क्योंकि वह वास्तविकता की सच्चाई जानना चाहते थे, जो कि मौसमों के साथ नहीं बदली थी।

राग बसंत में एक सुंदर भजन में इन्हीं भावनाओं का सार है –

> बसंत का समय था। पेड़ों पर नए पत्ते उग आए थे और कई जंगली बूटियों पर फूल उगे थे। तलवंडी के आस-पास के जंगलों में दर्शनीय सुंदरता बिखरी हुई थी। उनके गांव के कुछ युवा लोग उनके पास आए और बोले, 'नानक, इन दिनों बसंत का मौसम है। हमारे साथ चलो और हम सब चल कर कुदरत के अजूबों को देखते हैं।'
>
> 'चैत्र का महीना, बारह महीनों में सबसे सुंदर होता हे, नानक ने कहा, 'क्योंकि हर तरफ़ हरियाली होती है और धरती की हर वस्तु जिसमें जीवन है, अपनी पूर्णता को प्राप्त होती है। लेकिन मेरा मन प्रकृति की सुंदरता का तब तक आनंद नहीं लेता, जब तक कि उसे ईश्वर के नाम की कृपा न प्राप्त हो। हमें सबसे पहले अपने अहं पर विजय प्राप्त करनी चाहिए, ईश्वर का गुणगान करना चाहिए और तब हमारे दिल भी खुशबू से भर जाएंगे।
>
> 'हम समझ नहीं पा रहे कि तुम कह क्या रहे हो?', उन्होंने प्रतिवाद किया, 'हम तो तुम्हें यह बताना चाहते हैं कि जंगलों में पेड़ इतने हरे हैं कि हमारे पास उनका वर्णन करने के लिए

शब्द नहीं हैं, वहां कितनी ही तरह के फूल हैं, जिनकी सुंदरता का बयान करना मनुष्य के वश की बात नहीं। वहां कई तरह के फल हैं, जिनका स्वाद प्रशंसा से परे है और उनके नीचे की छाया बहुत शीतल व खुशबू से भरी हुई है। ये सब कुछ तुम्हें अपनी आंखों से देखना चाहिए।'

'ईश्वर की कृपा से ही पेड़ों को नई कोंपलें मिली हैं, नानक ने कहा, 'उसकी आज्ञा ने ही उन्हें सुंदरता से ढंका है और उनके फलों को मीठे अमृत से भरा है। जब उन पर पत्ते लगते हैं तो ईश्वर उनकी छाया को बहुत शीतल और खुशबूदार बना देता है। हमारे अपने दिल में भी ऐसे पत्तों के गुच्छे और फूल, फल और ठंडी छायाएं हैं, जिनके नीचे लोग शरण लेते हैं।

'महान ईश्वर ने हमें देखने के लिए आंखें, सुनने के लिए कान और बोलने तथा अन्न खाने के लिए मुंह दिया है। उसने हमें ये चीज़ें क्यों दी हैं?'

'उसने तुम्हें ये आंखें सिर्फ जंगलों को निहारने के लिए नहीं दी हैं, बल्कि ईश्वर की रची वस्तुओं को देखने के लिए दी हैं, कान ईश्वरीय उपदेशों को सुनने और ज़ुबान सच बोलने के लिए दी है। उसके बाद, जो कुछ भी तुम प्राप्त करते हो, वही सच्ची पूंजी और सच्चा सहारा है।'

नानक ने जो कुछ भी कहा, वे युवा लोग कुछ भी समझ नहीं पाए। उन्होंने नानक को अपने साथ लाने की बहुत कोशिश की। 'बसंत साल में एक बार ही आता है और प्रकृति एक बार ही अपनी हरियाली देती है। उसके बाद पतझड़ आता है। पेड़ों से पत्ते झर जाते हैं और जंगलों से सुंदरता ग़ायब हो जाती है। यदि तुम प्रकृति का सौंदर्य देखना चाहते हो तो इसे चैत्र के महीने में ही देखा जा सकता है।'

'महीने और मौसम तो हमेशा आते-जाते रहते हैं' नानक ने उत्तर दिया। 'पेड़ों और पौधों पर एक मौसम में पत्ते आते हैं और दूसरे में झर जाते हैं और जब मौसम बदलता है तो वे दुबारा हरे हो जाते हैं।

तुम्हारे लिए सबक यह है कि जो अच्छे कर्म करता है, उसे प्रत्युत्तर में अच्छे कर्मों का फल ही मिलता है और जो बुरा काम करते हैं, वे नष्ट होकर मृत्यु को प्राप्त होते हैं और जो लोग हमेशा ईश्वर का नाम लेते हैं, बसंत उनके दिलों में वास करता है। अंगूरों में मानसून के दौरान ही रस आता है, लेकिन एक अच्छा आदमी पूरे साल-भर और दिन-रात ही अपना इनाम पाता है। मनुष्य जन्म, जन्म, मृत्यु और पुनर्जन्म के चक्र का बसंत काल होता है, यह समय तुम्हारे लिए अच्छे कर्मों के बीज बोने का है और उसके बाद, अपने जीवन में इसके फल प्राप्त करने का, इसमें देर नहीं हो सकती।

✥✥✥

जब नानक और भी पारिवारिक संबंधों से अलग रहने लगे, तब उन्होंने अपनी पत्नी या बच्चों, अपने सामान या अपने आसपास के लोगों पर ध्यान देना छोड़ दिया। उनका जीवन केवल प्रार्थना करना, दान देना, नहाना-धोना और ज्ञान के पीछे दौड़ने तक ही सिमट गया — नाम, दान, स्नान और ज्ञान। काम, क्रोध और अहंकार दूर हो चुके थे, क्योंकि नानक का मन सत्य और संतोष से भर गया था। नानक इस अवस्था में, तब तक लगभग मदहोशी की स्थिति में रहे, जब तक उनकी बहन नानकी ने, जो अब विवाहित थीं, इस सारी स्थिति को अपने हाथ में नहीं ले लिया। उन्होंने अपने पति, जयराम, को राजी कर लिया कि वह उनके भाई नानक को सुल्तानपुर (अब पाकिस्तान में) बुलवा लें, जहां वे रहते थे और उन्हें उनके मालिक, नवाब दौलत खान लोदी के यहां नौकरी पर लगवा दें।

नानक अपने पारिवारिक नौकर मरदाना, जो मुसलमान थे और आगे चलकर नानक के अभिन्न साथी बने, के साथ सुल्तानपुर चले गए। मरदाना, जन्मसाखी बताती है, शराब बनाने वाली जाति से थे और प्रतिभाशाली संगीतकार थे। वह रबाब (एक तार वाद्य-ग्रंथ) बजाते थे और भजन भी गाते थे।

156 ◆ खुशवंत सिंह

नवाब दौलत खान लोदी अपने नए स्टोर कीपर और एकाउंटेन्ट की ईमानदारी से बहुत प्रभावित हुए। नानक रिश्वत नहीं लेते थे और उन्होंने अपने से पहले के लोगों की कायम की गई भ्रष्ट परम्परा को भी मानने से इनकार कर दिया था। सुल्तानपुर के लोग नानक की बहुत तारीफ़ करते थे।

सुल्तानपुर में नानक ने अपने दैनिक जीवन को बहुत आदर्श रूप से व्यवस्थित कर लिया। हर शाम, वह और मरदाना, सोने से पहले भजन गाया करते थे। नानक बहुत मुंह अंधेरे ही उठ जाते थे और पास की नदी में स्नान करने के बाद अपने अनुयायियों के साथ भजन गाते। इसके बाद, नानक नवाब साहब के दरबार में हाज़िरी देकर अपने काम में लग जाते।

हालांकि, नानक ने अपने मालिक और जिनके साथ वह व्यापार-व्यवहार करते, सबकी प्रशंसा पा चुके थे, लेकिन वह फिर भी नाखुश थे।

'इस सबने अचानक मेरे गले के इर्द-गिर्द फंदा कस दिया है', नानक ने कहा। उन्होंने अपने आपसे कहा कि यदि उन्होंने किसी की नौकरी (या सेवा) करनी है तो वह अपने प्रभु की नौकरी करना ज़्यादा समझदारी समझेंगे, जो उनके भीतर ही रहता है। 'ज्ञान और विवेक प्राप्त करना यूं तो बहुत अच्छी बात है, लेकिन अच्छे कर्मों के बीज बोये बिना माया के फंदे से बचा नहीं जा सकता। सेवा किए बिना कोई व्यक्ति कमाई नहीं कर सकता और यह माया का मोह ही है जो मुक्ति के रास्ते में बाधा बना हुआ है। तो फिर हम क्यों न उस मालिक की सेवा करें, जो सबका मालिक है?' नानक ने अपने विचार को स्थगित कर दिया — 'मैं, नानक, दूसरों से अच्छा नहीं हूं, दूसरे मुझसे बुरे नहीं हैं, प्रभु की जो भी इच्छा है, नानक उसका सम्मान करेगा और उसकी आज्ञा मानेगा।' (मेहरबान रचित जन्मसाखी)

यह स्पष्ट था कि निर्णय का समय बहुत पास था।

नानक का दिन रकम प्राप्ति और खर्चों के हिसाब-किताब में ही गुज़र जाता था। दिन के आख़िर में वह अपने खातों का मिलान कर लेते। उन्हें कभी-कभी लैम्प की रोशनी में देर रात तक काम करना

पड़ता था। एक रात वह अपने आपसे बहुत नाराज़ हो गए और उन्होंने अपनी कलम और किताबें अलग फेंक दिए। उन्होंने अपने आपसे पूछा, 'मैं यह सब क्यों कर रहा हूं?... और अपने मालिक को भी भुला बैठा हूं। क्या खाते लिखकर अपने दिन रात बिताना ही मेरी क़िस्मत बन गए हैं? यह बहुत बड़ा जाल है, जिसमें मैं फंस गया हूं। यानी अगर मैं ऐसे ही चलने दूंगा, तो यह फंदा और मेरी गर्दन के गिर्द कस जाएगा। मुझे यदि आधी रात को तेल जलाना ही है, तो यह कुछ सार्थक होना चाहिए'।

देर रात तक नानक इन विषयों पर सोच विचार करते रहे और घर वापस लौटने के बजाय, वह स्नान के लिए नदी की ओर चल पड़े। उन्होंने प्रार्थना की — 'प्रभु! मुझे एक गुरु दो, एक मार्गदर्शक जो मुझे सत्य का वह मार्ग दिखाए, जो तेरे घर की ओर जाता है।'

ठीक उसी रात, ईश्वर नानक के सामने प्रकट हुए। नानक ने जल्दी से प्रार्थना की और प्रभु से याचना की कि वह उन्हें माफ कर करके इस दुनिया से हटा लें, जिसने उसे बुरी तरह से जकड़ रखा है। प्रभु ने नानक से पूछा — 'तुम इतने अशांत क्यों हो? तुमने कोई बुरा काम नहीं किया।'

'मैंने अपने मन को तुम्हारी ओर से, दुनिया की तुच्छ वस्तुओं की ओर मुड़ने दिया है।' नानक ने उत्तर दिया।

'तुम्हारी ग़लतियां मैंने माफ कर दी हैं। जिस माया के बारे में तुम शिकायत करते हो, वह भी मेरा ही एक हिस्सा है। जो तुम देख रहे हो, वह मात्र उसकी छाया है।'

'प्रभु! मुझमें जो सांसारिक लाभ की तृष्णा है, उसे नष्ट कर दो।'

'नानक, तुम्हारे मन में सांसारिक लाभ की कोई तृष्णा नहीं रहेगी। मैं तुमसे खुश हूं। तुम पर मेरी कृपा बनी रहे।

(मेहरवान रचित जन्मसाखी)

❀❀❀❀❀

यह रहस्यवादी अनुभव था जिसने नानक को अपना अभियान शुरू करने के लिए प्रेरित किया, अलग-अलग समय पर और कई जगह, वर्णन किया गया है। पूर्णमासी से पहले घटी यह घटना अगस्त 1507 की तीसरी रात में घटी। जन्म साखी के अनुसार, चांद निकला हुआ था, लेकिन अंधेरा बहुत गहरा था और तारे अभी भी आकाश में झिलमिला रहे थे, जब नानक, अपने नौकर के साथ बैईं नदी पहुंचे। नानक ने अपना कुर्ता और धोती उतारा और जलधारा में कूद गए। उन्होंने अपनी नाक बंद करके डुबकी लगाई। वह ऊपर नहीं आए। नौकर ने क्षण भर की इंतज़ार किया और फिर घबरा कर नानक के लिए चिल्लाने लगा। कोई अजनबी आवाज़ पानी से बाहर निकल कर बोली, 'हौसला रखो।'

मरदाना, उलटे पांव सुल्तानपुर की ओर भागा और रो-रोकर सारी कहानी सुनाई। पूरे कस्बे में खलबली मच गई, क्योंकि नानक सब लोगों के प्रिय थे — हिंदू और मुसलमान, अमीर और ग़रीब सभी को। जब दौलत खां लोदी ने इस हादसे के बारे में सुना, तो उन्हें बहुत दुःख हुआ। 'मित्रों' उन्होंने कहा, 'नानक भगवान का भेजा गया दूत था। चलो, हम नदी से उसका शव ढूंढें।'

जिस वक्त, सुल्तानपुर के लोग नदी को खंगाल रहे थे, नानक भगवान के सामने खड़े थे। सर्वशक्तिमान ईश्वर ने उन्हें दूध का एक प्याला दिया। 'नानक, यह दूध पी जाओ।' ईश्वर ने आदेश दिया। 'यह दूध नहीं है, जैसा कि यह दिखाई देता है। यह अमृत है। इससे तुम्हें प्रार्थना की शक्ति, पूजा के लिए प्यार, सच और संतोष की प्राप्ति होगी।

नानक ने अमृत पी लिया और अभिभूत हो गए। उन्होंने दुबारा ईश्वर का अभिवादन किया। ईश्वर ने तब उन्हें आशीर्वाद दिया —

मैं तुम्हें जन्म, मृत्यु और पुनर्जन्म से मुक्त करता हूं, जो कोई भी तुम्हें श्रद्धा के साथ देखेगा, वही बचेगा (पाप कर्मों से) जो कोई भी तुम्हें पूरे दृढ़ विश्वास के साथ सुनेगा, मैं उसकी सहायता करूंगा, जिसे भी तुम माफ कर दोगे, मैं उसी को माफ कर दूंगा,

मैं तुम्हें मोक्ष का दान देता हूं, नानक! तुम वापस इस पापी संसार में जाओ और आदमियों व औरतों को प्रार्थना करना (नाम) दान देना (दान) और सफ़ाई के साथ रहना (स्नान) सिखाओ। दुनिया में अच्छे कर्म करो और पाप के इस युग (कलियुग) को पाप से मुक्त कर दो।

(मेहरवान रचित जन्मसाखी)

तीन दिन बाद, भोर के समय, अगस्त माह की पूर्णिमा में, नानक दुबारा बेईं नदी से बाहर आ गए। वह अब बिल्कुल बदले हुए इंसान थे – अत्यंत दृढ़ निश्चयी। लोग जब उनके इर्द गिर्द इकट्ठे होकर शोर मचाने लगे और उन्हें एक नया मसीहा घोषित कर दिया, नानक ने उनकी ओर ध्यान नहीं दिया। 'ऐसे लोगों से मुझे क्या लेना है?' उन्होंने अपने आपसे कहा। उनके पास जो कुछ था, वह उन्होंने ग़रीबों में बांट दिया। यहां तक कि अपने कपड़े भी, सिर्फ एक लंगोटी को छोड़ कर। उन्होंने अपना घर त्याग दिया और संन्यासियों के समूह में जा मिले। जल्द ही, लोगों ने ज़ोर-ज़ोर से अपने विचार जताने शुरू किए – 'नानक बहुत समझदार व्यक्ति थे।' कुछ ने कहा, 'लेकिन अब उसकी बुद्धि उलटी हो गई है।'

'वह ईश्वर के डर से घबराया हुआ है।' कुछ ने कहा – 'और अब वह अपने में नहीं है। शायद नदी में किसी जीव-जंतु ने उसे काट लिया है', बाकी लोगों को यह भरोसा था और वे उसे 'पागल और दीवाना' कह कर पुकारने लगे।

'यह ईश्वर ही है जिसने मुझे सम्मोहित किया है और मुझे पागल कर दिया है', नानक ने समझाया, 'अगर मैंने अपने प्रभु की आंखों में कोई गुण देखा है, तो मेरी यह जिद्द उचित ही है'।

'नानक, तुम पहले से बहुत बदल गए हो', लोगों ने कहा, 'हमें बताओ कि तुम क्या करना चाहते हो? कौन सा रास्ता चुनना चाहते हो? हमें सिर्फ़ दो ही रास्तों का पता है – एक रास्ता तो हिंदुओं का है और दूसरा मुसलमानों का।'

'इस दुनिया में न कोई हिंदू है, न मुसलमान।' नानक ने उत्तर दिया।

'तुम किसी दूसरी दुनिया की भाषा बोलते हो' – गुप्त भाषा, उन्होंने कहा।

'इस दुनिया में हम दो ही रास्तों को समझते हैं – 'एक हिंदू धर्म का और दूसरा मुस्लिम धर्म का।'

'न यहां कोई मुसलमान है, न हिंदू।' नानक ने फिर अपनी बात दोहराई। मेहरवान रचित जन्मसाखी)

⁂

नानक ने गृहत्याग करने, जंगल जाने और एकांतवास में रहने से पहले और दो साल, सुल्तानपुर में या उसके आसपास गुज़ारे। निष्ठावान मरदाना उनका अकेला साथी था। वह अजीब सी पोशाक पहनते थे – मुसलमान भिखारियों द्वारा पहना जाने वाला एक लंबा चोगा। वह कपड़े से बनी टोपी पहनते। भिखारियों वाला कटोरा, एक छड़ी और पूजा की एक चटाई वह हमेशा अपने साथ रखते। जब उनसे पूछा गया कि वह ऐसा विचित्र चोगा क्यों पहनते हैं, तो नानक ने जवाब दिया – 'मैं अपने प्रभु की खुशी के लिए एक जोकर की तरह कपड़े पहनता हूं। अगर मेरे वस्त्र उसे खुशी देते हैं तो मैं खुश हूं।'

नानक की पहली यात्रा पूर्व की ओर थी, जो हिंदुओं का केंद्रीय तीर्थस्थान था। उनके जीव की कई घटनाएं, नानक के भजनों के आधार पर लिखी गई हैं, उनमें से कई भजनों में, नानक को प्रकृति का प्रेम दिखाई देता है।

एक दिन, जैसा कि मेहरवान रचित जन्मसाखी बताती है, नानक और मरदाना ने, अपनी यात्रा के दौरान, हंसों का एक झुंड अपने ऊपर उड़ते देखा। नानक मोहित हो उठे और उन पर निगाहें गड़ाए, उनके पीछे दौड़ने लगे। मरदाना भी उनके पीछे-पीछे था। हंसों का वह झुंड एक मैदान में नीचे उतर गया और बिना नानक से डरे, उन्होंने

नानक को अपने पास आने दिया। क्योंकि नानक ईश्वर के आदमी थे, जो किसी को भी नुक़सान नहीं पहुंचाते थे। नानक ने उन पक्षियों की तारीफ़ की, उनकी लम्बी पतली गर्दनें, उनकी चमकती हुई काली आंखें, चांदी जैसे सफ़ेद पंख। नानक हैरान थे कि ये पक्षी, जो आकाश में फैले होते हैं, क्या अपने रचयिता को देख पाते हैं? उन्होंने अपने आप से प्रश्न किया कि ये इतने सुंदर पक्षी बिना विश्राम किए, क्यों महाद्वीपों के आर-पार उड़ते रहते हैं? मध्य एशिया के खोरासन से हिंदुस्तान तक और फिर वापस खोरासन? उन्होंने उन हंसों को आशीर्वाद दिया और पुनः अपनी यात्रा पर जाने का निवेदन किया।

एक अन्य भजन में, दिल्ली के एक उपनगरीय इलाके में हुई एक घटना के माध्यम से, उस समय की राजनीतिक और सामाजिक स्थिति को दिखाया गया है। उस समय, दिल्ली पर खून का प्यासा पठान राजा, इब्राहिम लोदी राज करता था। नानक की प्रसिद्धि उस तक पहुंच चुकी थी और लोगों के झुंड-के-झुंड, पर्यटक लोग और सत्य की तलाश में भटकते लोग, मुसलमान और हिंदू, सभी, नानक को देखने आते। नानक के शिविर के पास ही वह स्थान था, जहां आततायी राजा द्वारा भिखारियों और भिक्षुकों को मुफ़्त खाना दिया जाता था। लोगों ने नानक को राजा के अन्यायों के बारे में बताया और यह भी कि कैसे वह भिखारियों को खाना खिलाकर अपने पापों को धो रहा है।

नानक ने उनसे कहा —

ईश्वर के बच्चों, सुनो! राजा के इस दान का कोई परिणाम नहीं निकलने वाला। यह काम ऐसा ही है जैसे कोई अन्धा व्यक्ति अंधेरे में ठोकरें खाता चल रहा हो। वह अंधे व्यक्ति से भी गया गुज़रा है, क्योंकि अगर उसकी आंखों की रोशनी चली भी जाए तो एक अंधा व्यक्ति सुन सकता है, बोल सकता है और समझ सकता है, लेकिन जिस व्यक्ति ने अपना दिमाग़ खो दिया हो, वह तो सब कुछ खो देता है। ऐसे व्यक्ति का किसी को दान देने का फायदा ही क्या है, जो दिन में पाप करता है और रात

को दान देता है? पत्थरों से बना बांध पानी को रोक सकता है, लेकिन यदि बांध टूट जाए तो उसे मिट्टी के लेप से नहीं जोड़ा जा सकता। बुराई, बाढ़ की तरह है और पत्थर के बने बांध, विश्वास के समान। यदि विश्वास कमज़ोर होगा, तो पानी को बांध की दरार से निकलने का रास्ता मिल जाएगा और बाढ़ आ जाएगी। तब इसका बहाव इतना ताकतवर होता है कि कोई भी नाव या नाविक बाढ़ से पीड़ितों को बचाने की हिम्मत नहीं कर सकता। तब कुछ भी बचा नहीं रहता। प्रभु का नाम जपो।

(मेहरवान रचित जन्मसाखी)

हम नहीं जानते कि नानक दिल्ली में कितने समय तक रुके। उसके बाद उन्होंने गंगा के किनारों पर बसे हरिद्वार की ओर कूच किया। स्पष्ट रूप से यह किसी, त्योहार का समय रहा होगा, जब लोगों की भारी भीड़ 'पवित्र' गंगा में धार्मिक स्नान करने जुटी होगी। मरदाना यह दृश्य देखकर बड़ा प्रभावित हुआ और उसने नानक से कहा, 'संसार में अच्छे लोग कितने ज़्यादा हैं। वे अवश्य ही खुद को सुधारने के इच्छुक होंगे, तभी तो वे तीर्थयात्रा पर आए हैं।'

नानक लोगों के स्नान से 'अपने पापों को धोने' के इस दृश्य से बिल्कुल भी प्रभावित नहीं थे। 'सिर्फ एक जौहरी ही सच और झूठ के बीच के अंतर को बता सकता है।' उन्होंने उत्तर दिया, 'और इस जगह, कोई भी जौहरी नहीं है।'

नानक और मरदाना, बैसाखी (12 या 13 अप्रैल) का मेला देखने के लिए कुछ समय हरिद्वार में ठहरे। इसी मौके पर वह घटना घटी, जिसने नानक को बहुत प्रसिद्ध बना दिया।

नदी में नहाने वालों की बहुत भारी भीड़ वहां जमा थी। नानक ने देखा कि लोग पूर्व की ओर मुंह कर, हथेलियों में पानी भर, सूर्य की ओर डाल रहे हैं। नानक नदी में उतरे और पश्चिम की ओर जल फेंकने लगे।

'राम-राम-राम', हैरान तीर्थयात्रियों के मुंह से निकला, 'यह कौन है जो जल पश्चिम की ओर फेंक रहा है? वह या तो कोई पागल है या फिर कोई मुसलमान।'

वे नानक के पास गए और उनसे पूछा कि वह उलटी दिशा में जल क्यों फेंक रहे हैं? नानक ने उनसे पूछा कि वे सूर्य की ओर, पूर्व दिशा में जल क्यों फेंक रहे हैं?'

'हम अपने मृत पूर्वजों को यह जल अर्पित करते हैं।' उन्होंने बताया।

'तुम्हारे मृत पूर्वज कहां हैं?'

'भगवान के पास, स्वर्ग में।'

'भगवान का निवास यहां से कितनी दूर है,'

'यहां से लगभग उन्नचास करोड़ कोस दूर (एक कोस लगभग अढ़ाई मील के बराबर होता है)

'क्या जल इतनी दूर पहुंच जाता है?'

'बिल्कुल! लेकिन तुम पश्चिम दिशा में क्यों फेंक रहे हो?'

नानक ने उत्तर दिया, 'मेरा घर और मेरे खेत लाहौर के पास हैं। हमारे स्थान को छोड़कर हर जगह बरसात हुई है। इसलिए मैं अपने खेतों को पानी दे रहा हूं।'

ओ भगवान के बंदे! तुम यहां से लाहौर के पास पानी कैसे डाल सकते हो?'

'यदि तुम भगवान के घर के पास, उनचास करोड़ कोस दूर पानी भेज सकते हो, तो मैं लाहौर क्यों नहीं भेज सकता, जो लगभग दो सौ कौस ही दूर है?'

उनका उत्तर सुनकर लोग बहुत शर्मिंदा हुए। 'वह पागल नहीं है', उन्होंने कहा, 'निश्चित रूप से वह महर्षि है।'

(मेहरवान रचित जन्मसाखी)

हरिद्वार में जमा बहुत बड़ी संख्या में हिंदू तीर्थयात्री, गुरु के अनुयायी

बन गए। वह वहां बैसाखी के त्योहार के बाद तक रुके और उन्होंने लोगों को प्रवचन सुनाया —

'ईश्वर का दिया हुआ सबसे बहुमूल्य उपहार है, मानव-जन्म, क्योंकि यह विचाराधारित है और मनुष्य के रूप में एक ऐसा ज़िम्मेदार कार्य है कि हम जीवन, मृत्यु और पुनर्जन्म के दुश्चक्र से बाहर निकलकर, मोक्ष को प्राप्त कर सकते हैं। एक सच्चा भक्त बनने के लिए मनुष्य को द्वैतवाद को खत्म करना होगा।'

'और यह द्वैतवाद कैसे खत्म कर सकते हैं?' उन्होंने पूछा।

'एक ईश्वर में विश्वास रख कर, एक ईश्वर की बात सुनकर और कहकर, ईश्वर में अपने विश्वास को कभी न खत्म करके। तपस्या, सत्य और मन में संयम के द्वारा।'

(मेहरवान रचित जन्मसाखी)

हरिद्वार से नानक और मरदाना ने प्रयाग (वर्तमान में इलाहाबाद) की ओर प्रस्थान किया, जहां यमुना और कल्पित सरस्वती नदियां, गंगा में जाकर मिलती हैं। प्रयाग से, गुरु बनारस (या वाराणसी) चले गए, जो कि हिन्दू शिक्षा और परम्परा का गढ़ रहा है। आदि-ग्रन्थ में गुरु नानक का पंडितों से कई बार आमना-सामना होने का ज़िक्र किया गया है, जिन्होंने नानक की ग़ैर-रूढ़िवादिता के लिए उन्हें लताड़ा और कई बार पवित्र ग्रन्थों के संबंध में उनके ज्ञान की परीक्षा ली। नानक ने घोषित किया कि —

'इसका कोई महत्त्व नहीं कि ज्ञान की कितनी गाड़ियां तुम्हारे पास हैं, न ही इसका कोई महत्त्व है कि तुमने किसी की सोहबत में कितना कुछ सीखा, यह कोई मायने नहीं रखता कि किताबों से भरी कितनी नावें तुम्हारे पास हैं, न ही ज्ञान का पेड़ तुम्हारे

पास होना कोई महत्त्व रखता है, यह भी महत्त्व नहीं रखता कि तुमने शिक्षा पाने में कितने महीने या कितने साल बिताए, न ही इसका कोई अर्थ है कि कितनी शिद्दत से और एकचित्त होकर तुम ज्ञान प्राप्त करते हो। सिर्फ एक चीज ही महत्त्व रखती है, बाकी सब अहंकार का बवंडर है।'

'और वह कौन सी चीज़ है, जो महत्त्व रखती है?' उन्होंने पूछा।

'यहां सैकड़ों झूठी बातें हैं, लेकिन सार्वभौमिक सत्य एक ही है — आत्मा में सत्य को प्रवेश कराए बिना हर सेवा और हर शिक्षा, झूठ है'। नानक ने उत्तर दिया।

पंडितों के खाना पकाने के बर्तनों और रसोई की शुद्धता के संबंध में बहुत ज़्यादा ध्यान देने के बारे में भी, नानक बहुत स्पष्टवादी थे। नानक बहुत सामान्य तरीक़े से, उनके असंगत पहलुओं की ओर उनका ध्यान खींचना चाहते थे। वह उनके साथ गए और देखा कि स्नान करने में, अपने बर्तन मांजने में, चूल्हे के पास के स्थान की सफाई रखने में, सब्जियों को धोने में और भोजन बनाने में कितनी सफाई और देखभाल रखते हैं। जब नानक के सामने एक थाली रखी गई, तो उन्होंने उस थाली में खाने से इनकार कर दिया, कहा, 'तुमने मुझे जो खाना परोसा है, मैं उसकी 'शुद्धता से संतुष्ट नहीं हूं। यह उस व्यक्ति के द्वारा पकाया गया है, जो पापों से भरा है और पाप शरीर को धो लेने से ही साफ़ नहीं हो जाते।'

पंडित, नानक के शब्दों का अर्थ पूरी तरह से समझ नहीं पाए और उन्होंने दुबारा भोजन पकाया। इस बार उन्होंने ज़मीन को धोया और उसे दुबारा से लीपा, यहां तक कि उन्होंने लकड़ियों को जलाने से पहले उन्हें भी अच्छी तरह धोया। नानक ने फिर से खाना लेने से इनकार कर दिया और अपना धर्मोपदेश जारी रखा।

आपके इस विश्वास में ग़लती है कि पवित्रता रगड़ने और धोने से प्राप्त की जा सकती है। यह बात तो लकड़ी, गोबर-ईंधन और पानी

जैसी निर्जीव वस्तुओं पर भी लागू नहीं होती, जिनका इंसान के लिए बहुत कम महत्त्व है। वह मनुष्य अशुद्ध है यदि उसका मन लालच से दाग़ी है उसकी ज़ुबान पर झूठ का लेप चढ़ा है, उसकी आंखें दूसरे की पत्नी की सुंदरता और उसकी सम्पत्ति से द्वेष रखती है, उसके कान झूठी निंदा सुनते हैं। इन सबको केवल ज्ञान से ही साफ़ किया जा सकता है। मूल रूप से सभी मनुष्य अच्छे हैं, लेकिन अक्सर वे पहले से सोचा हुआ रास्ता ही पकड़ते हैं, जो नरक की ओर जाता है।'

नानक से हिंदुओं के पवित्र ग्रन्थों के बारे में, उनके रवैये पर भी प्रश्न किए गए – वेद एक बात कहते हैं और आप दूसरी। वे लोग, जो वेद पढ़ते हैं, उस की शिक्षाओं का पालन नहीं करते और उस पर आप उन्हें और भी भ्रम में डाल रहे हैं। आप या तो अपनी शिक्षाओं को वेदों की शिक्षा से मिला दो या फिर उन्हें साफ़ रूप से अलग कर दो।'

नानक ने उत्तर दिया – 'वेद तुम्हें अच्छे और बुरे का फ़र्क समझाते हैं। पाप नरक का बीज है, पवित्रता स्वर्ग का बीज। वेदों का ज्ञान और वेदों की शिक्षा एक दूसरे के पूरक हैं। वे एक दूसरे के लिए व्यापारी और व्यापारिक माल की तरह हैं।'

ऐसा लगता है कि उस समय तक नानक ने फैसला कर लिया था कि उनके विश्वास को उदार होना चाहिए, क्योंकि वह नामदेव, कबीर, रविदास, साईं और बेनी के भजन गाते थे। उनके नए शिष्यों ने उन्हें समझाया कि वह बनारस में ही बस जाएं। नानक ने ऐसा करने से इनकार कर दिया – 'मैंने केवल और केवल एक ही रास्ता चुना है – प्रभु की भक्ति का', उन्होंने उत्तर दिया। 'तुम्हारी शिक्षा और धर्म मुझे आकर्षित नहीं करते और मुझे ईश्वर के नाम के अलावा किसी भी तरह के व्यापार में दिलचस्पी नहीं है, क्योंकि मुझ में अधिग्रहण के लिए खुद ईश्वर ने इच्छा को ख़त्म कर दिया है।

दूसरे स्रोतों से सबूतों की कड़ी जोड़ने के लिए हम पाते हैं कि गुरु की पहली यात्रा ज़ाहिर तौर पर, पूर्व में, पश्चिम बंगाल और आसाम की थी। पंजाब वापसी के अपने रास्ते पर, उन्होंने कुछ दिन जगन्नाथपुरी (उड़ीसा) में बिताए। अपनी दूसरी लंबी यात्रा से पहले उन्होंने पूरे पंजाब और पाक पत्तन (अब पाकिस्तान में) में सूफी मुख्यालय की यात्रा की। इस बार दक्षिण की ओर। ऐसा समझा जाता है कि उन्होंने तमिलनाडु, केरल, कोंकण और राजस्थान से होकर यात्राएं कीं, हालांकि इसके सबूत बहुत कम मिलते हैं।

अपनी आख़िरी और सबसे लंबी यात्रा से पहले, नानक कुछ समय के लिए हिमालय में ठहरे। यह बगदाद और मुसलमानों के पवित्र शहर मक्का और मदीना के पश्चिम की ओर था। इस यात्रा के दौरान दूसरी घटना घटी। वह एक मस्जिद में ठहरे थे और अपने पांव काबा की ओर करके सो गए, ऐसा करना, मुसलमानों में अल्लाह के घर के प्रति बहुत अपमानजनक माना जाता है। जब मुल्ला नमाज़ पढ़ने के लिए आया तो उसने बड़ी रुखाई से नानक को हिलाया और कहा, 'ओ, ईश्वर के नौकर, तुमने अपने पैर काबा की तरफ़ कर रखे हैं जो कि अल्लाह का घर है। तुमने यह हरकत की कैसे?'

नानक ने उत्तर दिया — 'तो फिर तुम मेरे पांव उस दिशा में घुमा दो जहां अल्लाह नहीं है।'

❖❖❖❖

सन् 1526 के आसपास, नानक घर लौटे। इसी वर्ष, मुगल राजा जहीरूद्दीन बाबर ने पंजाब पर चढ़ाई कर दी थी। गुरु उस समय सैदपुर में थे, जब हमलावरों ने पूरे कस्बे को तहस-नहस कर दिया था। नानक ने इस आक्रमण की वजह से तबाही के कई संदर्भ दिए हैं।

इस समय तक,, नानक बूढ़े होने के कारण और कठिन यात्राएं करने में सक्षम नहीं थे। वह करतारपुर गांव में बस गए, जहां उन्होंने लोगों को प्रवचन सुनाते, अपने जीवन के आख़िरी दिन बिताए। उनके

शिष्य 'सिख' कहलाए (यह शब्द संस्कृत के शब्द 'शिष्य' या पाली के शब्द 'सिक्खा' से लिया गया है)। उन्होंने एक धर्मशाला बनवाई जिसमें रहने वालों को सख़्त अनुशासन का पालन करना पड़ता था, जैसे भोर होने से बहुत पहले उठना, स्नान करना और उसके बाद धर्मशाला में प्रार्थना और भजन गाने के लिए इकट्ठा होना। वे अपने दैनिक काम-काज के लिए चले जाते और शाम की सेवा के लिए फिर से मिलते। धर्मशाला में गुरु का 'लंगर' (गुरु की रसोई) लगता था, जहां आने वाले लोग, बिना जाति या धर्म के भेदभाव के भोजन करते।

नानक के शिष्यों में, लहना नाम का एक व्यक्ति था, जिसे उन्होंने अपने दोनों बेटों पर तरजीह देते हुए, अपना उत्तराधिकारी चुना था। नानक ने लहना से कहा था – 'तू अंगद है, मेरे शरीर का एक हिस्सा।'

उसके बाद उन्होंने अपने दूसरे शिष्यों से अंगद के माथे को केसर के साथ रंगने को कहा और उसे दूसरा गुरु घोषित किया।

नानक 22 सितम्बर, 1539 की सुबह प्रभु को प्यारे हो गए। वह एक कवि और प्रकृति प्रेमी थे। जब वह मृत्यु शैय्या पर थे, उन्होंने अपने बाल्यकाल की घटनाओं को याद किया। 'झाऊ के पेड़ पर अवश्य ही फूल आ गए होंगे, घास हवा में अपना ऊनी सिर लहरा रही होगी, झींगुर सुहावने एकांत में बोल रहे होंगे, उन्होंने ये शब्द कहे और चिरनिद्रा में अपनी आंखें मूंद लीं।

मेहरवान की जन्मसाखी में उस तरीक़े के बारे में लिखा है, जिससे उनके शरीर को अनंत आराम करने के लिए रखा गया था। मुसलमानों ने कहा, 'हम इन्हें दफनाएंगे।'... हिन्दुओं ने कहा, 'हम इनका दाह-संस्कार करेंगे।'

नानक ने कहा, 'तुम दोनों तरफ़ फूल रख दो, मेरे दायीं तरफ हिन्दू और मेरे बायीं तरफ़ मुसलमान। जिनके फूल कल तक ताज़ा बने रहेंगे, उन्हीं की बात मानी जाएगी।'

उसके बाद उन्होंने प्रार्थना गाने के लिए कहा। जब प्रार्थना ख़त्म हुई तो नानक ने अपने ऊपर चादर ओढ़ ली और गहरी नींद में सो

गए। अगली सुबह जब वह चादर हटाई गई तो वहां कुछ भी नहीं था। हिन्दू-मुसलमानों दोनों के फूल ताज़ा थे। हिंदुओं ने अपने फूल ले लिए और मुसलमानों ने अपने।

यह थोड़ा आश्चर्यजनक है कि नानक को संतों के राजा या शाह के रूप में प्रतिष्ठित किया गया – हिंदुओं के गुरु और मुसलमानों के पीर के रूप में –

बाबा नानक शाह फकीर
हिन्दू का गुरु, मुसलमान का फकीर

गुरु गोबिंद सिंह

1922 की गर्मियों में, एक हैरान कर देने वाली घटना पंजाब में घटी। उस वर्ष सिखों ने अपने ऐतिहासिक गुरुद्वारों में से एक, गुरु का बाग, जो अमृतसर से लगभग बीस किलोमीटर दूर है, का कब्जा लेने के लिए सविनय अवज्ञा आंदोलन की शुरुआत की। आंदोलनकारियों के कई जत्थे गुरुद्वारे पहुंचे। पुलिस ने निर्ममतापूर्वक उनकी पिटाई की। उनके हाथ-पांव तोड़ डाले गए, उन्हें उनके बालों से पकड़ कर घसीटा गया, कईयों को पेड़ों की टहनियों से तब तक उलटा लटकाए रखा, जब तक कि वे बेहोश न हो गए।

इन क्रूरताओं से दुखी होने के बजाय आंदोलनकारियों की तादाद धीरे-धीरे बढ़ने लगी और लगभग 500 जत्थे (झुंड) रोज़ गुरु का बाग पहुंचने लगे – इनमें कई तो वे थे, जिन्हें पहले भी बेरहमी से पीटा गया था और उन्हें मरहम-पट्टी के बाद अस्पताल से छुट्टी मिल गई थी।

'वीरता की यह अनूठी किस्म', जैसा कि महात्मा गांधी और आदरणीय सी.एफ. एंड्रयूज (एक अंग्रेज़, जिन्होंने भारत के स्वतंत्रता संग्राम को प्रोत्साहन दिया) ने वर्णन किया, धार्मिक उत्साह से पैदा हुई थी। जिसे सिखों द्वारा व्यापक रूप से स्वीकार किया जाता है। कहा जाता है कि जहां भी पांच अवज्ञा आंदोलनकारी (जिन्हें सत्याग्रही कहा गया) प्रार्थना करने

इकट्ठे होते, गुरु गोबिंद सिंह (सिखों के दसवें और अंतिम गुरु) उनके सामने उपस्थित हो जाते। यह माना जाता है कि उन्होंने गुरु का बाग जाने के लिए उनका नेतृत्व किया और उन्होंने, अवज्ञा आंदोलनकारी के रूप में, पुलिस की मार भी सहन की। जब इन सत्याग्रहियों को अदालत में पेश किया गया और उनसे उनके नाम-पते पूछे गए, तो उन्होंने अपने असली नाम बताए। लेकिन अपने पते और अपने माता-पिता के संबंध में उनका उत्तर था, 'मेरे पिता गुरु गोबिंद सिंह हैं, मेरी मां, माता साहिब देवां, मेरा घर गुरु का 'अपना' आनंदपुर साहिब (सिखों का एक पवित्र स्थान)।

पंजाब की जेलें भरने तक, गुरु का बाग का सत्याग्रह कुछ महीने चला और अंत में, पुलिस और सरकार को हथियार डालने पड़े और गुरु का बाग सिखों को देने पर सहमत होना पड़ा। मैं इनमें से कई सत्याग्रहियों से मिला हूं और मैंने अपने कानों से उनसे गुरु के दर्शन देने और उनके अलौकिक स्वरूप द्वारा पुलिस का सामना करने में उनका नेतृत्व करने के संबंध में सुना है। वे कसम खाकर कहते हैं कि उनका सारा डर ख़त्म हो गया था और जब उन्हें प्रताड़ित किया गया तो उन्होंने किसी भी प्रकार का कोई दर्द महसूस नहीं किया।

गुरु का बाग की घटना के एकदम बाद, पंजाब में एक और अलौकिक घटना घटी। अमृतसर में, हरिमंदिर साहिब (स्वर्ण मंदिर) के आसपास बना पवित्र सरोवर सूख गया। इस कार सेवा (सेवा-दान), जैसा कि इसे जाना जाता था, में लाखों आदमियों ने भाग लिया। वहां सैकड़ों आदमियों और औरतों ने क़सम खाकर यह कहा कि जब वे कार-सेवा कर रहे थे, उन्होंने कई बार देखा कि गुरु गोबिंद सिंह का सफ़ेद बाज तेज़ी से आकाश से नीचे आया और हरि मंदिर साहिब के सोने जड़े शिखर पर बैठ गया और उसके बाद नाटकीय रूप से नीले आसमान में ग़ायब हो गया।

बेशक इस घटना पर संदेह करने वालों के पास इसका स्पष्टीकरण होगा। हमें यह स्वीकार करना होगा कि धार्मिक उत्साह के इस माहौल में, ऐसे अनुभव संभव हैं, हालांकि इस बिंदु को ध्यान में रखना चाहिए

कि सिखों के लिए, ये घटनाएं आम तौर पर गुरु गोबिंद सिंह के साथ जुड़ी हैं, क्योंकि उन्हें पिता समान दर्जा दिया गया है। उनके सबसे बड़े नायक, उनके विश्वास को सहारा देने वाले, आशा और साहस और उनके प्रेमी आदर्श — एक में ही सब रूप समाहित।

❖❖❖❖

गुरु गोबिंद सिंह (1666-1708) किस तरह के आदमी थे? ज़्यादातर पाठक, मैं समझता हूं, उनके जीवन की मुख्य घटनाओं से परिचित होंगे। मैं उन्हें दोहराऊंगा नहीं। मैं उनका ध्यान केवल पांच बातों की ओर दिलाना चाहूंगा, जिससे इतिहास में गुरु गोबिंद सिंह के स्थान के बारे में जानने में उन्हें सहायता मिलेगी। इन 'पांच' बातों का चुनाव काफी सोच-विचार कर किया गया है। 'पांच' के इस आंकड़े का पंजाब के संबंध में बहुत गहरा महत्त्व है — पंजाब पांच नदियों की धरती है। गुरु ने स्वयं पांच की पवित्रता का वर्णन किया है —

> पांचों में नित बरतत मैं हूं
> पांच मिलन तो पीरां पीर

> जहां भी पांच है, मैं वहीं हूं, जहां पांच मिलते हैं,
> वे सबसे पवित्र होते हैं।

सबसे पहले, यह बात ध्यान में रखनी चाहिए कि जब वह सिर्फ नौ साल के बालक थे, उनके पिता, नौंवे गुरु, गुरु तेग़ बहादुर का सिर, छठे मुग़ल राजा औरंगज़ेब के आदेश से कलम कर दिया गया था। ऐसी किसी भी मौत का परिणाम गहरे दर्दनाक सदमे के रूप में होता है। पहले तो डर के रूप में और फिर घृणा और उन लोगों के ख़िलाफ़ बदले की भावना के रूप में, जिन्होंने ऐसे अपराध को बढ़ावा दिया है। मुझे इसमें शक है कि कुछ लोगों ने युवा गोबिंद के दिमाग़ में, मुग़लों के प्रति घृणा और बदले की भावना भर दी होगी। हालांकि,

गुरु पर इनका कोई असर नहीं हुआ। जब वह पुरुषत्व को प्राप्त हुए, तो उन्होंने निम्न शब्दों में अपने जीवन के उद्देश्य की घोषणा की –

> मैं इस ज़िम्मेदारी के साथ धरती पर आया हूं कि हर जगह जो कुछ सही है, उसे बनाए रखूं, पाप और बुराई को ख़त्म कर सकूं... मेरे पैदा होने का कारण यही है कि धर्म की स्थापना हो, अच्छे लोग अच्छी चीज़ें जीवित रहें और अत्याचारियों को जड़ से नष्ट किया जाए।

दूसरे, हमें लगातार यह बात ध्यान में रखनी चाहिए कि गुरु ने कभी भी इस सिद्धान्त को स्वीकार नहीं किया कि जिसकी लाठी उसकी भैंस। हालांकि, उन्होंने सिख धार्मिक रीति-रिवाज़ों में हथियारों की पूजा की शुरुआत की और तलवार, भाले व बन्दूक का 'पीरों' यानी सिखों के धार्मिक सलाहकार के रूप में वर्णन किया है। यह पूरी तरह से 'ग़लत लोगों के ख़िलाफ़ सही' बल प्रयोग के संदर्भ में था। वह पूरी तरह से इस तथ्य से वाक़िफ थे कि पहले पांच गुरुओं और ग्रन्थ साहिब की शिक्षाएं, विषय-वस्तु की दृष्टि से बहुत शांति देने वाली थीं। लेकिन क्या झूठ और बुराई के हाथों सच और अच्छाई के विनाश की इजाज़त दी जानी चाहिए? गुरु गोबिंद सिंह का उत्तर, स्पष्ट रूप से 'ना' था। 'ज़फ़रनामा (जीत के शब्द) नामक फारसी भाषा में लिखे एक ग्रन्थ में, जिसके बारे में माना जाता है कि इसे राजा औरंगज़ेब के पास भेजा गया, उन्होंने लिखा कि –

> **चु कार अज हम हर हील-ते दर गुज़श्त**
> **हलाल उसत बुरदन ब-शमशीर दस्त**
>
> (अन्याय का विरोध करने में जब सभी साधन विफल हो चुके हों, तब तलवार का इस्तेमाल करना उचित भी है और पवित्र कार्य भी)

इस संदर्भ में, यह महत्वपूर्ण है कि हालांकि गुरु गोबिंद सिंह ने

गुरु ग्रंथ साहिब का अंतिम संस्करण लिखवाया, उन्होंने अपनी रचनाओं में से कोई भी ऐसी रचना इसमें शामिल नहीं की, जो लोगों को पवित्र कार्य के लिए हथियार उठाने को प्रेरित करती हो।

तीसरे, गुरु ने इस बात का विशेष ध्यान रखा कि मुस्लिम विरोधी भावनाएं उस धर्मयुद्ध को नुक़सान न पहुंचाने पाएं, जो उन्होंने मुग़लों के विरुद्ध लड़ना है। 'मेरी तलवार आततायियों पर वार करती है, साधारण मनुष्यों पर नहीं', उन्होंने कहा। उनकी सेना में सबसे पहली भर्ती मुसलमानों की हुई थी। हालांकि, वह उम्र भर मुगलों से लड़ते रहे – जैसा कि उन्होंने पहाड़ी हिंदू राजपूतों के साथ भी युद्ध किया, उनके सैनिकों में हिन्दू और मुसलमान, दोनों ही शामिल थे, जिन्होंने सिख सैनिकों के साथ कंधे-से-कंधा मिलाकर युद्धों में भाग लिया। इससे उनके इस निश्चय को, निश्चित रूप से मज़बूती मिलती है कि सभी मनुष्यों की जाति एक ही है – मानस की जात सबै एकै पहचानबो।' उन्होंने आह्वान किया। उनका विश्वास था कि मस्जिद और मंदिर एक ही हैं, अज़ान देने वाले (मुअज़्ज़िन) की पुकार और पंडित के श्लोक एक ही हैं।

गुरु गोबिंद सिंह द्वारा शुरू की गई ग़ैर-सांप्रदायिक परम्परा महाराजा रणजीत सिंह (1780-1839) के समय में भी जारी रही, जो सही मायनों में, देश के धर्म निरपेक्ष शासकों में से एक रहे हैं, जैसा कि जवाहर लाल नेहरू ने 'डिस्कवरी ऑफ़ इन्डिया' में लिखा है कि यह सिख हथियारों की सबसे बड़ी सफलता थी कि मुस्लिम योद्धा, कर्नल शेख़ बसावन ने 1839 में काबुल की सड़कों पर, अपनी जीत का जो झंडा फहराया, उस पर गुरु गोबिन्द सिंह का चिह्न खुदा हुआ था। इसी तरह, डोगरा जनरल, जोरावर सिंह ने भगवा बैनर बनवाया, जिसमें उसने तिब्बत के बिल्कुल केंद्र में गुरु गोबिंद सिंह का चक्र और उसके नीचे क्रॉस करती कृपाण का निशान बनाया।

गुरु गोबिंद सिंह मुगलों के ख़िलाफ़ अपनी लड़ाई को इस कदर ऊंचा उठाने में सफल रहे कि उन्होंने उसे, अमीरों के उत्पीड़न के खिलाफ दलितों के एक संघर्ष और ग़लत काम करने वालों के अत्याचार

के ख़िलाफ़ न्याय की मांग में बदल दिया। संक्षेप में, यह एक धर्मयुद्ध था, एक सच्चा धर्मयुद्ध (अच्छाई को बचाने के लिए एक युद्ध), जो बुराई की ताक़तों के ख़िलाफ़ लड़ा जा रहा था। उन्होंने अपने सैनिकों को लूटपाट करने से मना किया। उन्होंने उनसे एक पवित्र शपथ ली कि वे दुश्मनों की औरतों से कभी छेड़छाड़ नहीं करेंगे। उन्होंने हमारे ऋषियों और योगियों का उदाहरण पेश करने की कोशिश की और इस पर ज़ोर दिया कि सभी सिखों को अपने केश और दाढ़ी नहीं कटानी चाहिए — क्योंकि वे कोई सामान्य सैनिक नहीं, बल्कि संत सिपाही या सैनिक-संत हैं। चौथे, जिस पर ध्यान दिया जाना चाहिए, वह है गुरु द्वारा अपने अनुयायियों में वफादारी और बलिदान की भावना जगाना। मैं कुछ उदाहरण देना चाहूंगा। आपने सुप्रसिद्ध बपतिस्मा की रस्म के बारे में सुना होगा, जिसमें पांच लोग अपनी मर्ज़ी से अपने सिर कटवाना स्वीकार करते हैं। ऐसे बलिदानों के अनगिनत उदाहरण मिलते हैं। सभी जानते हैं कि ये पहले पांच सिख 'पंज प्यारे' के नाम से जाने गए, वहीं एक और वर्ग भी है जिन्हें 'चाली मुक्ते' (मुक्त किए गए चालीस लोग) कहा जाता है। मई 1705 में आनंदपुर का घेरा डालने की लम्बी प्रक्रिया के दौरान, गहरे तनाव में, इन चालीस व्यक्तियों ने गुरु से विनती की कि उन्हें वहां से जाने दिया जाए। उन व्यक्तियों से त्यागपत्र लेने के बाद, गुरु ने उन्हें उनकी ज़िम्मेदारी से मुक्त कर दिया। जब वे अपने घर लौटे, उनकी औरतों ने अपने मालिक के प्रति वफादारी न दिखाने के लिए उन पर कटाक्ष किया। चालीस लोग (उनमें भागो नाम की एक औरत भी शामिल थी) मुक्तसर में गुरु के पास जाकर दुबारा उनसे जुड़ गए और दिसम्बर 1705 में लड़ते हुए शहीद हो गए। उनके नेता मोहन सिंह ने गुरु से अंतिम विनती की कि उनकी मृत्यु से पहले उनका त्यागपत्र फाड़ दिया जाए।

दूसरा उदाहरण एक बुढ़िया का है, जो गुरु के पास सहायता मांगने आई थी। उसने बताया कि उसका पति और उसके दो बेटे लड़ते हुए मारे गए हैं, अब उसके परिवार में केवल सबसे छोटा बेटा बचा था, जो भयानक रूप से बीमार था। उसने गुरु से आशीर्वाद मांगा कि वह

उसका स्वास्थ्य लौटा दें – इसलिए नहीं कि बुढ़ापे में उनकी देखभाल करने वाला कोई दूसरा नहीं बचा, बल्कि इसलिए कि उनका यह बेटा स्वस्थ होकर युद्ध के मैदान में शहीद हो सके।

गुरु गोबिंद सिंह अपने अनुयायियों में ऐसी उत्साहजनक ताकत कैसे भर सके? इसके लिए वह खुद एक उदाहरण बनकर उनके सामने पेश हुए। वह अपने सैनिकों के साथ मिलकर दुश्मन से लड़े। उन्होंने अपने शिष्यों के सामने कभी अपने परिवार को तरजीह नहीं दी। इसके विपरीत, उन्होंने 'पंज-प्यारो' में से किसी एक के बजाय, अपने दोनों बेटों को मौत को गले लगाने के लिए भेजा। कुछ महीनों के दौरान ही, उन्होंने अपने सभी चारों बेटे खो दिए – दो तो युद्ध में शहीद हो गए और दो, जिनकी उम्र नौ साल और सात साल की थी, दिसम्बर 1705 में, सरहिंद के गवर्नर, वज़ीर खान द्वारा फांसी पर लटका दिए गए। गुरु की माता जी भी इस सदमे से मर गईं। जब उनकी पत्नी ने रोते हुए उनसे अपने बेटों के बारे में पूछा तो गुरु ने उत्तर दिया – 'क्या हुआ अगर चारों मारे गए? इस लड़ाई को जारी रखने के लिए हज़ारों बेटे अभी ज़िंदा हैं।'

इसी तरह के निजी उदाहरणों से गुरु ने देहाती लोगों को, जिन्होंने लाठी से अधिक घातक कोई हथियार नहीं चलाकर देखा था, कमज़ोर और भूखे पेट वाले व्यक्तियों को, डरपोक दुकानदारों को ऐसा प्रशिक्षण दिया कि उनमें से कई महान योद्धा बन कर उभरे, जिन्हें भारत हमेशा याद रखेगा। उन्होंने अपनी इन शपथों को पूरा किया कि 'वह चिड़िया को बाज से लड़ने का प्रशिक्षण देंगे' (यानी वे कमजोर व्यक्तियों को भी बलवान से लड़ने में सक्षम बनाएंगे) और 'एक व्यक्ति को एक सैनिक से लड़ने योग्य शिक्षा देंगे'।

उत्तर-पश्चिम क्षेत्र के पठान, ईरानी, अफगानी और बलूच लोग, जिन्होंने कई शताब्दियों तक भारत पर आक्रमण किए और आतंक फैलाया, क़त्लेआम किया और हमारे लोगों को लूटा, गुरु गोबिंद सिंह के इन नए सैनिकों ने उन्हें वापस उनके देश खदेड़ दिया। हमारे इतिहासकारों ने कभी भी पूरी तरह से इस बात को नहीं सराहा कि

इन सिख योद्धाओं ने हमलावरों के ख़िलाफ़ इंसानी घेरा खड़ा किया और इस तरह सत्रहवीं और अठारहवीं शताब्दी में मराठों की ताकत को तब उभरने में मदद की जब वे (मराठा) भारतीय उपमहाद्वीप में बहुत बड़े भू-भाग पर राज करते थे।

पांचवां और आख़िरी बिंदु है, लोगों के इस नेता की सच्चे मायनों में प्रजातांत्रिक भावना। गुरु गोबिंद सिंह ने कभी भी अपने देवता होने का दावा नहीं किया। उन्होंने उन लोगों की निंदा की, जिन्होंने उन्हें ईश्वर का अवतार बनाने की कोशिश की — 'मैं एक पंथ की स्थापना करने और उसके नियम क़ानून बनाने के लिए भेजा गया था।' उन्होंने लिखा, 'लेकिन जो भी मुझे ईश्वर के समान मानता है, उसे नरक में जाकर नष्ट हो जाना चाहिए। इसमें कोई शक नहीं कि मैं प्रभु का एक गुलाम हूं। जैसा कि दूसरे लोग हैं, सृष्टि के आश्चर्यों को निहारने वाला हूं।

उन्होंने अपने कार्यों का कभी कोई श्रेय नहीं लिया। उन्होंने अपनी उपलब्धियों का श्रेय खालसा (शुद्ध) को दिया — उनकी सभी जीतें, उनकी ताक़त, उनकी इज्ज़त, वह कहते थे, उनके अनुयायियों की कोशिशों का नतीजा हैं। हालांकि वह उनके गुरु थे, लेकिन उन्होंने अपने आपको उनका शिष्य बनाया हुआ था। आपे गुरु-चेला। जब कभी उनका धार्मिक समाज कोई प्रस्ताव पारित करता, उसे गुरुमत यानी गुरु का अध्यादेश, जो स्वयं गुरु को भी मानना पड़ता था, की आज्ञा लेनी पड़ती थी।

इस तरह, गुरु गोबिंद सिंह में कई विशेषताएं थीं — एक प्रबुद्ध सौंदर्यवादी, जो कई भाषाओं में कविताएं लिखते थे, जैसे संस्कृत, प्राकृत, फारसी और पंजाबी, एक सुंदर अभिमानपूर्ण व्यक्ति जो ख़तरों को दावत देने का शौकीन था। एक सैनिक, जिसने अत्याचारों से लड़ते हुए अपना जीवन न्योछावर कर दिया। एक नेता, जो अपने अनुयायियों को अपना साथी और अपने बराबर मानता था। एक गुरु, जो अपने अनुयायियों को अपने ईष्ट प्रभु की पूजा करने को प्रेरित करते थे, लेकिन ज़ोर देकर कहते थे कि वह अपने साथियों को अपने बराबर मानते हैं और

एक इंसान जिसने अपना वह सब कुछ न्योछावर कर दिया, जो उनके पास था — अपना परिवार और अपनी दुनियावी चीज़ें और अंत में अपने आदर्शों के लिए स्वयं को भी न्योछावर कर दिया। इस आदर्श को उन्होंने इन पंक्तियों में कहा है, जो उनकी सब से ज़्यादा उद्धृत की गई रचना बन चुकी है —

हे भगवान! मैं तुमसे यह वरदान मांगता हूं किः
मुझे धर्म के कार्यों से कभी दूर नहीं रखना।
मैं निडर रहूं, जब मैं युद्ध के लिए जाऊं
मुझे यह विश्वास दो कि जीत मेरी ही होगी
मुझे शक्ति दो कि मैं तुम्हारा गुणगान करूं
और जब मेरा जीवन समाप्त होने का समय आए,
मुझे शक्तिशाली संघर्ष में कूद जाने दो।

इस संसार में कितने लोग हैं, जो गुरु गोबिंद सिंह जैसे महान हैं?

9

धर्म बनाम नैतिकता

...वर्तमान भारतीय समाज में धर्म की भूमिका बहुत सीमित हो गई है। इंसान का सबसे अच्छा गुण बाहर लाने की अपेक्षा, धर्म, तीर्थयात्रा के माध्यम से माफी के सतही साधन उपलब्ध करवा कर या तपस्या के कुछ घिसे-पिटे ढंगों से या तथाकथित संतों की हिमायत से, हमारे भीतर जो सबसे बुरा है, वही बाहर लाता है। हमें या तो धर्म को बिल्कुल आधुनिक स्वरूप देना होगा या फिर उसे पूरी तरह बेकार चीज़ों के ढेर में फेंक देना होगा।

उत्तर-पश्चिमी भारत और पाकिस्तान के आसपास के क्षेत्रों में एक व्यापारिक वर्ग है जो अपनी धार्मिक पद्धतियों की नैतिक क्रियाओं के लिए मशहूर है, जिसका इस्तेमाल वह अपने अनैतिक व्यापार के लिए करता है। इसी व्यापारी वर्ग के लिए, नीचे लिखी पंक्तियां हैं जो

पांचोहारी (या पांचवारी) भाषा में हैं, जो रावलपिंडी और कोयम्बतूर के आसपास के जिलों में बोली जाती है –

कूर वी असीं मारने हां
घट वी असीं तोलने हां
पर सच्चे पादशाह
असीं नाम वी तेरा लैंदे हां।

झूठ भी हम अक्सर बोलते हैं, कम भी अक्सर तोलते हैं
लेकिन ऐ मेरे सच्चे ईश्वर, हम नाम भी तेरा जपते हैं।

ये पंक्तियां सारगर्भित रूप में धर्मकार्य और नैतिक विचारों के बीच टूटते संबंधों को बताती हैं, जिसमें भारतीय समाज आज बुरी तरह से जकड़ा हुआ है। यह जानना बहुत शिक्षाप्रद हो सकता है कि धर्म और नैतिकता के ये संबंध क्यों और कब ख़त्म हुए और क्या इनके दुबारा एक दूसरे के पास आने की कोई संभावना दिखाई देती है? ऐसा करने के लिए हमें धर्म की शुरुआत होने और उसके विकास को देखने की ज़रूरत होगी।

सबसे पहले, धर्म की उत्पत्ति, किसी अज्ञात के डर से हुई लगती है। जब तक, अज्ञानी लोगों में डर, धर्म का सबसे बड़ा कारण बना रहा, उस अज्ञात के बारे में सच जानने की इच्छा धर्मशास्त्रियों की सबसे बड़ी चिंता रही जो यह जानना चाहते थे कि इस धरती पर जीवन कैसे शुरू हुआ, उसका उद्देश्य क्या है और मौत के बाद पुनर्जीवन की संभावना क्या है। इन सबसे ही ईश्वर की अवधारणा का जन्म हुआ जो सृष्टिकर्ता, संरक्षक और नाश करने वाले की त्रिमूर्ति के रूप में स्थापित हुआ। सभ्यता के विकास के अगले चरण में, धर्म के कार्यों का दायरा बहुत अधिक बढ़ गया, जिसमें समाज के लिए क़ानून बनाना भी शामिल हो गया। यह तब हुआ, जब यह मालूम हुआ कि इंसानों को दूसरों को दुःख देने, दूसरों की सम्पत्ति, गुलाम या पत्नी को चुराने

से रोकने में अज्ञात ईश्वर का डर, सबसे प्रभावशाली माध्यम सिद्ध हो सकता है।

दूसरे, एक मिसाल कायम होने के बाद, धर्म ने समाज के लिए आचार-व्यवहार के नियम बनाकर अपना दायरा और बढ़ा दिया। उदाहरण के लिए, कौन शादी कर सकता है और कौन नहीं, एक व्यक्ति कितनी पत्नियां रख सकता है, यहां तक कि भोजन और सफ़ाई के संबंध में भी नियमों का ऐसे वर्णन किया गया जैसे कि ये कोई दैवीय आदेश हों। विकास के इस काल के दौरान, सुलेमान का क़ानून, मोज़ेज़ का टेन कमान्डमेंटस, पवित्र कुरान में दर्ज हलाल और हराम की अवधारणा और नबी की परम्परा (हदीस) अस्तित्व में आए। आगे चलकर, धार्मिक समुदायों ने जैसे सिख धर्म ने, इसी तर्ज़ पर, अपनी आचार-संहिता बनाई। सिख सम्प्रदाय के लोगों को क्या करना है और क्या नहीं, यह उनके राहतनामों में बताया गया है। इस तरह, विभिन्न धार्मिक समूहों द्वारा परम्पराओं का निर्माण किया गया, कैथोलिक सम्प्रदाय के लोग शुक्रवार को मांस नहीं खा सकते, हिंदुओं को गोमांस खाना मना है, जैनी लोग किसी भी तरह का मांस या ज़मीन के नीचे उगी वनस्पति नहीं खा सकते, यहूदी और मुसलमान लोगों को सूअर का मांस खाना मना है, सिख झटका मीट के अलावा दूसरा मीट (हलाल) और किसी भी तरह के तम्बाकू का सेवन नहीं कर सकते। इन नियमों में किसी को भी धर्म के दायरे में माना जा सकता है। चूंकि धर्म में स्वयं लगाए गए प्रतिबंध लागू होते हैं, इसलिए वे उनसे संबंधित धार्मिक समूहों में प्रमुख भूमिका निभाते हैं।

⋆⋆⋆⋆⋆⋆

धर्म के संबंध में तीसरी बात, आत्म-विश्लेषण करने वाली है, अपने व्यवहार की जांच करने के लिए अपने भीतर झांकना, ताकि अपने आचरण का लेखा-जोखा तैयार किया जा सके। किसी व्यक्ति ने दूसरों के साथ कोई ग़लत बर्ताव तो नहीं किया या किसी लालच के आगे

घुटने तो नहीं टेक दिए? आमतौर पर इसी ने ध्यान-चिंतन, प्रार्थना, माला जपना और इसी तरह के दूसरे कार्यों का रूप ले लिया, जिससे कि कोई व्यक्ति एक बेहतर इंसान बन सके और इसके साथ-साथ मानसिक शान्ति बहाल हो सके।

जब एक नई धर्मप्रणाली अस्तित्व में आई, इसके संस्थापक द्वारा तीन कार्यों को अंजाम दिया गया। उसकी मौत के बाद, तीन अलग-अलग लोगों की सेवाओं की ज़रूरत महसूस हुई, विचारक द्वारा चिंतन करने की, धर्माचार्य — काज़ी या मुल्ला द्वारा क़ानून को लागू करवाने की और मार्ग दर्शक — गुरु या पीर द्वारा आत्म-विश्लेषण की। जैसे-जैसे समाज मध्यकाल से आधुनिक युग की ओर बढ़ा, राज्य धीरे-धीरे धार्मिक दायित्व निभाने वाले इनके कार्यकर्ताओं से वंचित हो गया। मानवीय व्यवहार में धर्म की भागीदारी कम होने लगी। इसी समय, चूंकि धार्मिक सिद्धान्त बढ़ते हुए नास्तिकों को ब्रह्माण्ड की उत्पत्ति और जीवन के बाद जीवन का सिद्धान्त समझाने में असफल रहे और वैज्ञानिकों ने इन रहस्यों को सुलझाने में अपनी सीमा स्वीकार कर ली, तो ज्योतिषी अपने सामान जैसे ग्रहों की स्थिति दिखाते चित्रों, हाथों की रेखाओं, ताश के पत्तों और चाय के पत्तों और कॉफी के कपों (जिनके बारे में वे दावा करते हैं कि इनसे अतीत और भविष्य देखने में सहायता मिलती है) सहित आ पहुंचे। खगोलशास्त्रियों की जगह ज्योतिषियों ने सम्भाल ली और आधुनिक तकनीक शास्त्रियों का स्थान हस्तरेखा शास्त्रियों ने ले लिया। इन धूर्त लोगों ने धर्म पुरुष और धर्म महिलाओं के रूप में व्यापक स्वीकृति प्राप्त कर ली। जैसा व्यापार के क्षेत्र में हुआ था, धर्म की दुनिया में भी, बुरी मुद्रा (करेंसी) ने अच्छी मुद्रा को चलन से बाहर धकेल दिया।

समय बीतने के साथ, धर्म को क़ानून बनाने और उन्हें लागू करने के कार्यों से हटा दिया गया, जिसे वह अधिक पूर्णता और अधिक गम्भीर नतीजों के साथ कर रहा था। राज्य क़ानून का निर्माता, क़ानून का व्यवस्थापक और अंतिम निर्णायक बन गया। धार्मिक क़ानूनों की जगह, नागरिक और आपराधिक क़ानूनों ने ले ली और भोजन, धार्मिक

रीति-रिवाज़ और बाहरी स्वरूप, जो संगठित धर्मों की प्रमुख चिंता बन चुके थे, को उनके दायरे से बाहर और बेकार की चीज़ बना दिया। इस तरह, धार्मिक सेंसरशिप, बहिष्कार के रूप में, सामान्य ज्ञान तक ही सीमित हो गया। यदि तुम मांस, लहसुन, प्याज इत्यादि खाते हो तो, तुम्हें ग़ैर-जैनी समझा जाएगा, यदि तुम गाय का मांस खाते हो तो तुम हिंदू चंडाल बन जाओगे, सूअर का मांस खाने पर (यहूदियों और मुसलमानों द्वारा) अपने सिर पर रबी और मुल्ला का गुस्सा झेलना होगा और बाल काटने और धूम्रपान करने (सिखों द्वारा) पर खालसा पंथ द्वारा पंथ से भी बेदखल किया जा सकता है। लेकिन जब हत्या, बलात्कार, आगजनी, डकैती, चोरी या दूसरे की पत्नी का शीलभंग करने की बात हो, तो धार्मिक निंदा का आख़िरी डर नहीं रहता, बल्कि वहां जल्लाद का फंदा, जेल की कोठरी में एकांतवास और पुलिसिया डंडे का ख़ौफ़ होता है। यह बहुत शर्मनाक था, क्योंकि आत्मसंयम, जो धर्म ने दिलों के अंदर पैदा किया था, समाप्त हो गया था और जब क़ानूनी प्रशासन और व्यवस्था नहीं रहे (जैसा कि हाल के वर्षों में भारत में हुआ) और आपराधिक प्रवृति, जिसे धार्मिक आस्था ने नियंत्रण में रखा था, फिर से मज़बूती पकड़ने लगी।

❖❖❖❖❖❖

लोगों ने अपराध किए, क्योंकि उनकी अन्तरात्मा पर किसी प्रकार की बंदिश नहीं थी, उन्होंने भगवान की पूजा करके, बाहरी धार्मिक प्रतीकों का प्रदर्शन करके और धार्मिक अनुष्ठान करके, अपने झूठ बोलने और धोखा देने से मुक्त होना सिखाया। नैतिक मूल्य पूरे तौर पर गड़बड़ हो चुके हैं। झूठ बोलना, जो धर्म में निंदनीय था, लेकिन क़ानून में इसके लिए कोई दंड नहीं था (सिवाय अदालत में शपथ लेकर झूठ बोलने के) बहुत सामान्य सी बात हो गया। अतिक्रम या भूल, विशेषकर सेक्स के मामले में जो एक सामान्य व्यवहार की बात थी, बहुत महत्वपूर्ण बात मानी जाने लगी। जबकि पश्चिमी देशों के अति आधुनिक समाज

में परगमन या समलैंगिकता को लोगों का निजी मामला माना जाता है, भारत के लोगों में यह सार्वजनिक रूप से निंदा का काम समझा जाता है। ईश्वर विहीन पश्चिम ने अपने आपको 'सेक्स' की बंदिशों से मुक्त रखा, लेकिन उन्होंने अधिक सच्चाई से जीना सीखा, जबकि 'धार्मिक' भारत ने झूठों और धोखेबाज़ों को माफ करना सीखा, लेकिन उसने लम्पट और पुरुष-मैथुन करने वालों की निंदा की। भारतीयों के लिए एक भारतीय की शुद्धता (शुचिता) का प्रमाण है उसका 'नाणे दा सुच्चा' होना – यौनिक रूप से शुद्ध (पवित्र) बने रहना। धर्म की पकड़ ढीली होने के साथ ही हम माताओं, बहनों और बेटियों के रूप में औरतों की इज़्ज़त करना भूल जाते हैं और 'छेड़छाड़' और बलात्कार की घटनाएं बढ़ जाती हैं।

धर्म का एक दूसरा पहलू भी है – एक इंसान के अपने साथ व्यक्तिगत समीकरण। यदि वह खुश नहीं या उसका मन बेचैन है, तो वह अपने गुरु से मार्ग दर्शन चाहता है और गुरु के निर्देशानुसार, उचित मंत्रों का जाप करता है, योग के आसन करता है और मन की शांति के लिए मैडिटेशन करता है। पश्चिम में, ये सब कार्य ज़्यादातर मनोचिकित्सक द्वारा किए जाते हैं, हालांकि कुछ धर्मपुरुष और धर्म महिलाओं द्वारा भी ये कार्य किए जाते हैं।

उपरोक्त चर्चा से यह स्पष्ट हो जाएगा कि वर्तमान भारतीय समाज में धर्म की भूमिका बहुत सीमित हो गई है। इंसान का सबसे अच्छा गुण बाहर लाने की अपेक्षा, धर्म, तीर्थयात्रा के माध्यम से माफी के सतही साधन उपलब्ध करवा कर, या तपस्या के कुछ घिसे-पिटे ढंगों से या तथाकथित संतों की हिमायत से, हमारे भीतर जो सबसे बुरा है, वही बाहर लाता है। हमें या तो धर्म को बिल्कुल आधुनिक स्वरूप देना होगा या फिर उसे पूरी तरह बेकार चीज़ों के ढेर में फेंक देना होगा।

भारत जैसे बड़े व घनी जनसंख्या वाले देश में, जहां अनपढ़ और

गंवार लोगों का अनुपात बहुत ज़्यादा है, धर्म को हटाया नहीं जा सकता, न ही यह धर्म का पथभ्रष्ट होना सहन कर सकता है। भारत में सभी धर्मों के लोगों में, भगवान के बारे में एक दूसरे की अवधारणा को स्वीकार करने की पर्याप्त सहनशीलता है और वे व्यक्तिगत रूप से मन की शांति की तलाश के लिए एक-दूसरे को अनुमति देते हैं। अतीत में जो कुछ भी फीका पड़ चुका है और जिसकी तर्कसंगत श्रेष्ठता को बहाल करने की आवश्यकता है, वह है एक महान सामाजिक घटना के रूप में धर्म, जिसके नियम बताते हैं कि लोगों को खुद अपने साथी मनुष्यों के साथ कैसा आचरण करना चाहिए। मेरा सुझाव है कि यह तभी संभव है यदि सच को, अपने सभी आयामों में, सिर से ऊंचा उठाकर भगवान का दर्जा मिल जाए। एक अमूर्त अवधारणा के रूप में, ईश्वर के लिए एक और शब्द की तरह, सभी प्राणियों के प्रति व्यवहार के एक सिद्धान्त के रूप में, एक व्यक्ति के विवेक की कसौटी के रूप में। यह केवल तभी हो सकता है जब यह भव्य सच हमारी पूजा का उद्देश्य बने, हमारे आचरण का सिद्धान्त बने और हमारी आत्माओं के लिए उपचारात्मक मरहम बने। तभी धर्म और नैतिकता फिर से सोने के एक सिक्के के दो पहलू बन पाएंगे।

10

भगवान बिकाऊ नहीं है

...धार्मिक कार्यों में पादरियों और रागियों के अपने-अपने निहित स्वार्थ हैं। जब वे पूजा के स्थानों पर अपना बोलबाला वापस लेंगे तभी थोड़ी बहुत उम्मीद है कि भारत को आध्यात्मिक देश के रूप में बहाल किया जा सके।

एक समय था जब मैं गुरुवार दोपहर के समय दो घंटे नई दिल्ली में हज़रत निज़ामुद्दीन औलिया की मज़ार पर बिताने की राह देखता था। हालांकि पीर साहिब और प्रसिद्ध संगीतकार, विद्वान और कवि, अमीर खुसरो (1253-1325) की मजार की ओर जाने वाले गलियारों में भिखारियों की लंबी कतारें होती थीं, लेकिन एक बार आप इन्हें पीछे छोड़ दें तो सुकून भरे माहौल में पहुंच कर, आंगन में गाई जाने वाली सूफिया कव्वालियों का आनंद ले सकेंगे।

जल्द ही, इस तीर्थ स्थान के मुज़व्वर (देखभाल करने वाले) मुझे पहचानने लगे। मैं जब भी वहां गया, कोई-न-कोई व्यक्ति एक रसीद

बुक और पैन लेकर मेरे पास आ जाता। क्या मैं लंगर (मुफ्त बंटने वाला भोजन) या वहां के रख-रखाव के लिए कुछ दान करना चाहूंगा? कुछ समय बाद, मैंने निज़ामुद्दीन जाना बंद कर दिया।

एक समय था जब मैं पूर्णिमा (पूरे चांद वाला दिन) पर हरिद्वार जाने की राह देखता था। सूर्यास्त होने पर, हर की पैड़ी पर गंगा की पूजा के समय, जलती हुई मोमबत्तियों की रोशनी, टिमटिमाते हुए तेल के दीयों के साथ, नदी की धारा पर तैरती पत्तों की छोटी-छोटी नावें, वास्तव में ही एक जादुई दृश्य प्रस्तुत करती हैं।

तब मैं छोटा था, और भिखारियों, पंडों (वंशावली बनाने वाले पंडित), पुरोहितों और अनगिनत तथाकथित धर्मार्थ संगठनों के अनगिनत एजेंटों, जो गौ-शालाओं के लिए चंदा इकट्ठा करने के लिए रसीद बुक और पैन लिए मेरे इर्द-गिर्द मंडराते रहते थे। मैं आश्रमों और दूसरे संस्थानों को दान नहीं देता था और उन्हें एक ओर कर देता था। मैंने हरिद्वार जाना छोड़ दिया। यही वाराणसी में भी हुआ। मैं अपने जीवन में पहली और आख़िरी बार, पुरी (उड़ीसा) में जगन्नाथ मंदिर देखने गया तो कार से बाहर निकलना मुश्किल हो गया, क्योंकि पंडों की भीड़ मेरा ध्यान अपनी ओर खींचने के लिए शोर मचा रही थी। सभी अपने आपको मेरे परिवार का पुरोहित होने का दावा कर रहे थे।

मैं बहुत ज़्यादा गुरुद्वारे जाने वालों में से नहीं हूं। लेकिन बहुत कम अवसरों पर, जब भी मैं गुरुद्वारे गया, मैंने गुरु ग्रंथ साहिब के सामन या गुल्लक (दान-पात्र) में कभी पैसे नहीं चढ़ाए। मेरे पास, गुरुद्वारों की कार्यवाहक समितियों के सदस्यों, ग्रंथियों और सेवादारों (कार्यकर्ता जो गुरुद्वारों में अपनी मुफ्त सेवाएं देते हैं) द्वारा पैसे के दुरुपयोग के पर्याप्त सबूत हैं। जब भी मैं अपनी आय का दसबंध (आमदनी का दसवां हिस्सा) दान देने की इच्छा हुई, तो मैं भक्त पूरन सिंह (प्रसिद्ध समाज-सेवक), मदर टेरेसा या सीधे, अच्छे कार्यों में लगे लोगों के पास दान के लिए पैसे भेज देता हूं। हालांकि गुरुद्वारों के आसपास भिखारी या चंदा मांगने वाले नहीं मिलते, लेकिन सिख अनुष्ठानों में व्यवसायीकरण ने जिस तरह जगह बना ली है, वह

उतनी ही बुरी है, जितनी हिंदू अनुष्ठानों में। अब अखंड-पाठों (लगातार चलने वाले पाठ) और सप्ताह पाठों (एक सप्ताह तक चलने वाले पाठ) का भी श्रेणीकरण हो चुका है और यह आप पर निर्भर करता है कि आप इनके लिए कितना पैसा खर्च करने के इच्छुक हैं। नए बने ग्रंथी सस्ते पड़ते हैं, पुराने ग्रंथियों के मुक़ाबले, जो तजुर्बेकार होते हैं और जिनका उच्चारण भी बहुत साफ़ होता है। रागी लोग अपनी सेवाओं के लिए जो पैसा लेते हैं, वह सैकड़ों से लेकर हज़ारों रुपये तक होता है। कुछ ने तो अपने 'रेट' अपने 'विज़िटिंग कार्ड' पर छपवाए हुए हैं। मुझे रागियों के एक जत्थे का ध्यान आता है, जिन्होंने नया जापानी हारमोनियम लाने को कहने पर अतिरिक्त पैसे की मांग की थी। धार्मिक कामों में व्यवसायीकरण का पर्दाफाश तब हुआ था, जब दशकों पहले, बद्रीनाथ और केदारनाथ (उत्तराखंड में हिमालय की ऊंचाइयों में बने) के मंदिरों में लोगों को मुश्किलों का सामना करना पड़ा था। इन मंदिरों का रख-रखाव केरल के नम्बूदरी ब्राह्मणों के सुपुर्द है। उनके अलावा और कोई भी इन मंदिरों में स्थापित देवी-देवताओं की मूर्तियों को छू नहीं सकता।

वे मासिक वेतन के अलावा, मंदिरों में चढ़ावे की रकम में साढ़े सात प्रतिशत हिस्से की दावेदारी करते हैं। नम्बूदरियों, जिन्हें प्रधान पंडित (रावल) के अतिरिक्त, वहां पंडित और वेदपाठक (वेदों के जानकार) भी हैं, जिन्हें भिन्न-भिन्न कार्य सौंपे जाते हैं। किन्हीं महंगे रेस्तरांओं के 'मीनू-कार्ड' की तरह, धर्मकांडों की भी दरें निश्चित हैं। बद्रीनाथ और केदारनाथ के पंडितों की बिरादरी ने तब अपने हाथ खड़े कर दिए थे, जब चढ़ावे में से इनके सदस्यों के हिस्से का कमीशन कम करने का प्रस्ताव लाया गया था। उन्होंने धर्मकांड बंद करने, देवी-देवताओं को न नहलाने और आरती न करने की धमकी दे डाली थी।

'हाई प्रोफाइल' आश्रमों के बारे में जितना कहा जाए कम है। वे पूरे देश में कुकुरमुत्तों की तरह उग आए हैं और वे आधुनिक बाबाओं, गुरुओं और माताजी की छत्र-छाया में चलाए जाते हैं। आंध्रप्रदेश के पुट्टापर्थी में सत्य साईं बाबा के आश्रम से बरामद हुई

नकद-राशि, सोने और चांदी की मात्रा पर ग़ौर करें, जिनकी क़ीमत करोड़ों अरबों रुपये है। किसने कल्पना की होगी कि धर्मशाला (हिमाचल-प्रदेश) के सिद्धबारी में चौबीस वर्षीय करमापा के मंदिर में बने निवास से करोड़ों रुपए बरामद होंगे और वह भी विदेशी-मुद्रा की शक्ल में? योग गुरु रामदेव और उन जैसे कई दूसरे बाबाओं पर गौर करें जिन्होंने इतना बड़ा साम्राज्य खड़ा कर लिया और क़ानून की धज्जियां उड़ाई हैं। उदाहरण के लिए, आध्यात्मिक गुरु आसाराम बापू, जिनका मुख्यालय गुजरात के अहमदाबाद में है और उनके कई और भी आश्रम हैं, क़त्ल, ज़मीन पर क़ब्जा करने और टैक्स चोरी के कई अपराधों में अभियुक्त थे। बहरहाल, उनके ख़िलाफ़ आरोप साबित नहीं किए जा सके। एक और गुरु गुरमीत राम रहीम हैं, (जिनके विशाल अनुयायी हैं) जिन पर हत्या और यौन-दुराचार के आरोप हैं। जिनका अपना एक संगठन है, जिसे डेरा सच्चा-सौदा के नाम से जाना जाता है, जो सिरसा, हरियाणा में है। एक और गुरु, स्वामी नित्यानंद (जिनका आधार बंगलोर में है) सेक्स स्कैंडल में शामिल था और कैमरे पर पकड़ा गया। उसने दावा किया कि वीडियो प्रसारण में दिखाई गई उनकी तस्वीरों से छेडछाड़ की गई है, जो दक्षिण भारतीय समाचार चैनल द्वारा प्रसारित की गईं और जो इंटरनेट पर उपलब्ध हैं। ऐसा लगता है कि अब तथाकथित धार्मिक और आध्यात्मिक गुरु भी हमारे भ्रष्ट राजनेताओं से सीधी टक्कर ले रहे हैं।

धार्मिक कार्यों में पादरियों और रागियों के अपने-अपने निहित स्वार्थ हैं। जब वे पूजा के स्थानों पर अपना बोलबाला वापस लेंगे तभी थोड़ी बहुत उम्मीद है कि भारत को आध्यात्मिक देश के रूप में बहाल किया जा सके। यही समय है, जब कोई पैसा झपटने वाले मुफ़्तखोरों के झूठ का पर्दाफाश करे और ईश्वर के घरों को देवी-देवताओं और उनके भक्तों के योग्य बनाए।

11

धार्मिक जुलूसों पर पाबंदी की ज़रूरत

...हम में से किसी को भी यह अधिकार नहीं है कि हम अपने धार्मिक विचार दूसरे मत के लोगों पर थोपें। ठीक यही चीज़ वास्तव में हमारे धार्मिक जुलूस करते हैं और इसीलिए मुझे लगता है कि यही समय है जब उन्हें व्यवस्थित करने के लिए हमें अपनी इच्छाओं को काबू में करना होगा।

मैंने किसी भी सम्प्रदाय के किसी भी धर्म-ग्रंथ में या विभिन्न धर्मों के पैगम्बरों की घोषणाओं में, एक भी पंक्ति नहीं पाई जिसमें उन्होंने अपने अनुयायियों को अपने धार्मिक विश्वास का प्रचार करने के लिए, जुलूस निकालने के लिए प्रेरित किया हो। संक्षेप में, धार्मिक जुलूसों को धार्मिक अनुमोदन प्राप्त नहीं होता। ये परम्पराएं पूरी तरह इंसान द्वारा बनाई गईं और नागरिक जीवन में बाधा डालने और दूसरे धर्म के लोगों को पीड़ा पहुंचाने के लिए बनाई गई हैं। वे लोग इन दोनों ही कामों में सफल रहे हैं।

जुलूस या परेड हर देश में निकाले जाते हैं, लेकिन वे मुख्य तौर पर धर्म निरपेक्ष स्वरूप लिए होते हैं। मैं कई सालों तक विदेश में रहा, लेकिन शायद ही मैंने कभी कोई धार्मिक जुलूस वहां निकलता देखा हो। कुछ के बारे में मैंने पढ़ा, जो भारत में निकलने वाले जुलूस की तरह थे, जो दुश्मनी भड़काने के लिए थे और आयरलैंड में निकलने वाले जुलूस की तरह थे, जो प्रोटेस्टेंट लोगों द्वारा उन सड़कों पर निकाले जाते हैं जहां कैथोलिक मत वाले लोग रहते हैं। वे हमेशा ही अपने शातिर मकसद को प्राप्त करने में सफल रहे। ईसाई और मुसलमान लोग ज़्यादा जुलूस नहीं निकालते। कभी-कभी ही वर्जिन मेरी की मूर्तियों को ले जाने की बात सुनाई देती है या फिर कोई संत कभी-कभी सड़कों से होकर गुज़रता है, लेकिन बहुत ज़्यादा ऐसा नहीं होता। सुन्नी मुसलमानों में जुलूस की परम्परा नहीं है और शिया मुसलमान पूरे साल में मुहर्रम के मौके पर ही जुलूस निकालते हैं। जुलूस निकालने की बीमारी अधिकतर हिंदुओं, सिखों और जैनियों में होती है।

हमें इन समुदायों के नेताओं से विनती करनी चाहिए कि वे इस विषय पर दोबारा विचार करें। कुछ हिंदू त्योहार जुलूस-आधारित हैं। काली माता और गणेश की मूर्तियों को विसर्जन के लिए उस स्थान से लाया जाता है, जहां ये स्थापित की जाती हैं। उड़ीसा में, जगन्नाथ पुरी में रथयात्रा पूरी तरह जुलूस पर आधारित है। ऐसे ही दक्षिण भारत में कुछ हिंदू त्योहार हैं। इन मामलों में अपवाद हो सकता है।

मैं जानता हूं कि सिख धर्म में जुलूसों के लिए कोई धार्मिक अनुमति नहीं होती। निश्चित ही, महाराजा रणजीत सिंह के चालीस वर्षों के राज के दौरान, उनकी दैनिक डायरी में न गुरुओं के जन्मदिन पर एक भी जुलूस का बयोरा मिलता है और न ही उनके शहीदी दिवस पर। एक समर्पित सिख होने के बावजूद, महाराज रणजीत सिंह एक वर्ष में सिर्फ दो ही जुलूसों में शामिल हुए – एक बसंत-पंचमी पर, जब वह माधो लाल हुसैन (एक सूफी संत) की क़ब्र पर अपने रणप्रिय अंगरक्षक को श्रद्धांजलि देने गए थे और दूसरा, दशहरे के अवसर पर। हाथियों, घुड़सवारों और बैंड-बाजों से सुसज्जित विशाल जुलूस, जो सिखों की

धार्मिक अभिव्यक्ति के लिए नियमित बन गए थे, अंग्रेज़ी राज के दौरान शुरू हुए और जो पूरे उत्साह के साथ जारी रहे।

मैं धार्मिक समारोहों के ख़िलाफ़ नहीं हूं। इसी तरह से अपनी रामलीला है, लेकिन उनके लिए मैदान चाहिए। जब सभाएं इतनी बड़ी हों कि उन्हें गुरुद्वारों में आयोजित न किया जा सके, तो दीवान और कीर्तन खुले में होने चाहिए। लेकिन हम में से किसी को भी यह अधिकार नहीं है कि हम अपने धार्मिक विचार दूसरे मत के लोगों पर थोपें। ठीक यही चीज़ वास्तव में हमारे धार्मिक जुलूस करते हैं और इसीलिए मुझे लगता है कि यही समय है जब उन्हें व्यवस्थित करने के लिए हमें अपनी इच्छाओं को काबू में करना होगा। यह काम विभिन्न धार्मिक समुदायों के नेताओं द्वारा किया जा सकता है। इसे सरकार के भरोसे नहीं छोड़ना चाहिए, क्योंकि इस मामले में किसी भी सरकारी कार्रवाई को ग़लत समझा जा सकता है और उसका विरोध हो सकता है। यदि आप मुझसे सहमत हैं, तो मंदिर या गुरुद्वारा समिति के प्रधान को इस बारे में लिखें। यदि सहमत नहीं हैं, तो अपनी असहमति का कारण देकर मुझे लिखें।

12

सच की तलाश

...मैं सभी चाहने वालों से पूछना चाहता हूं – क्या यह उचित है कि सच के एक सपने के लिए इतना समय और इतनी मेहनत की जाए, जबकि सफलता की एकमात्र गारन्टी ईश्वर की इच्छा पर निर्भर है?

मैं हमेशा हैरान होता हूं कि वे किस तरह के लोग हैं जो पूजा और मेडिटेशन पर कई-कई घंटे खर्च करते हैं। जब मैंने उनसे प्रश्न किया, तो वे आमतौर पर यही उत्तर देते हैं कि इससे उन्हें मानसिक शांति प्राप्त होती है या फिर वे अपने भीतर सच की तलाश करते हैं। मैं उनके बारे में समझ सकता हूं, जिनका मन बहुत परेशान है (ज़्यादातर मनुष्यों के साथ ऐसा होता है) और वे मानसिक शांति प्राप्त करना चाहते हैं, हालांकि जब सच की बात होती है तो मैं अपने आपको असमंजस में पाता हूं। यहां सच से उनका अभिप्राय है – सच्चाई या वास्तविकता, ईश्वर के जीवन का रहस्य। वे अपने उद्देश्य में सफल हो पाए या नहीं, मैं नहीं जानता, क्योंकि मैं अभी तक ऐसे किसी आदमी

या औरत से नहीं मिला, जिसने यह दावा किया हो कि हां, उसने ईश्वर को देखा है। वे सिर्फ उन लोगों का अनुसरण करते हैं, जिनका विश्वास है कि उन्होंने भगवान को देखा है।

दिव्य-ज्ञान प्राप्ति की दिशा में कोशिश करना, अधिकांश धार्मिक प्रणालियों में एक सामान्य बात है। हिंदू धर्म में, यह कुण्डलिनी जागृत करने से संभव होता है, जो रीढ़ के आधार से आरम्भ होकर, कई चरणों से होती हुई ऊपर कपाल की ओर बढ़ती है। सिख धर्म में भी विकास का यही स्तर है, जो सच खान अर्थात सत्य और आनन्द के निवास पर जाकर ख़त्म होता है। मुस्लिम सूफी संतों ने इन प्रगतिशील चरणों का अधिक स्पष्टता से वर्णन किया है, जिसमें वे अपने अस्तित्व को मिटा कर, स्वयं का परमात्मा में विलय कर सकें। इस प्रक्रिया को वे 'फ़ना' होना कहते हैं।

इस तलाश का सबसे स्पष्ट अर्थ मोहयुद्दीन-इस्न-अल-अरबी के एक लघु निबंध 'जर्नी टु दॅ वर्ल्ड ऑफ़ पॉवर' में मिलता है, जो अंग्रेज़ी अनुवाद के साथ प्रकाशित हुआ। अरबी का जन्म स्पेन में 1165 ईस्वी में हुआ था और वह दमास्कस में 1240 ईस्वी में मृत्यु को प्राप्त हुए। जब, वह सिर्फ 20 साल के थे, उन्हें एक रहस्यमयी अनुभव हुआ। इसका वर्णन अपने सौतेले पुत्र, सदरुद्दीन को एक पत्र लिखने से पहले, उन्होंने और 20 साल तक इंतज़ार किया।

इस्न अरबी ने इसे छः चरणों में सूचीबद्ध किया है। इसके बाद खोजकर्ताओं ने उनकी 'दृष्टि' के सहारे अपनी खोज को आगे बढ़ाया। वह अपने चाहने वालों को यह विश्वास दिलाते हैं कि यद्यपि रास्ते कई हैं, लेकिन 'सत्य' को पाने का मार्ग एक ही है, कुछ-कुछ ऋग्वेद की तरह ही, जिसमें कहा गया है, 'एकम् सत् विप्रः बहुधा वदन्ति' (सच केवल एक है, लेकिन उसकी अभिव्यक्ति के रास्ते कई हैं)। मैं 'सकल मेन्ती' के विभिन्न चरणों के विस्तार में नहीं जाऊंगा, जिसका अर्थ है, एक सीढ़ी, जिस पर चढ़कर कोई व्यक्ति परमेश्वर तक पहुंचता है।

जिस बात पर ज़ोर दिया जाना चाहिए, वह यह है कि कोई व्यक्ति कितनी भी ज़्यादा और कितने भी शुद्ध अंतःकरण से कोशिश करे,

वह ईश्वर की कृपा के बिना अपने लक्ष्य तक नहीं पहुंच सकता। यह पैगम्बर मुहम्मद के 'अवतरण की रात' (शब-ए-मैराज़) की पुष्टि करता है। कहा जाता है कि जब उन्होंने पलक झपकते ही मक्का के लिए कूच किया तो अबू जहल (अज्ञानतावश इस शब्द को 'ज़हालत' पढ़ा जाता है) जो पैगम्बर के प्रमुख विरोधियों में से एक था, इस घटना के बारे में बड़ी उलझन में था। उसने पैगम्बर से कहा, 'अब तुम अपना एक पैर ज़मीन से ऊपर उठाओ।' पैगम्बर मुहम्मद ने ऐसा ही किया। 'अब दूसरा पैर भी उठाओ।' अबू जहाल ने कहा, 'मैं ऐसा नहीं कर सकता।' पैगम्बर मुहम्मद ने उत्तर दिया।

'यदि तुम अपने दोनों पैर ज़मीन से ऊपर नहीं उठा सकते, तो पिछली रात जन्नत में जाने का दावा कैसे कर सकते हो?' अबू जहाल ने पूछा।

'मैंने तो यह नहीं कहा कि 'मैं गया था', पैगम्बर मुहम्मद ने कहा, 'मैंने तो कहा था कि 'मैं ले जाया गया हूं।'

इस्न अरबी की मृत्यु भी बहुत नाटकीय थी। वह यह देखकर बहुत दुखी हुए कि दमिश्क निवासी इस्लाम से कितनी दूर हो गए हैं और कुबेर की पूजा करने लगे हैं।

'दमिश्क के निवासियों!' इस्न अरबी ने घोषणा की, 'जिस ईश्वर की तुम पूजा करते हो, वह मेरे पैरों के नीचे है।'

वे उनका अर्थ नहीं समझ पाए और उन्हें मौत की सजा सुना दी। मरने से पहले इस्न अरबी ने भविष्यवाणी की, 'जब 'दर्शन' 'रोशनी' में प्रवेश कर जाएगा, तब 'सत्य' की खोज पूरी हो जाएगी।

जब उस्मानी सुल्तान, सलीम द्वितीय ने दमिश्क पर 1516 ईस्वी में कब्ज़ा किया, तो उसने आदेश दिया कि इस्न अरबी की मज़ार की तलाश कर, उसे खोदा जाए। जब ऐसा किया गया, उन्हें सोने के सिक्कों का ढेर वहां मिला। लोगों ने तब उनकी भविष्यवाणी और उनके संदेश को समझा — सलीम ने शीन (अरबी भाषा में सीरिया का नाम, जिसे 'शाम' कहा जाता है) में प्रवेश किया और दमिश्कवासियों ने जिस ईश्वर की पूजा की, वह वास्तव में 'सोना' था।

मैं शायद विषय से भटक गया हूं। मैं सभी चाहने वालों से पूछना चाहता हूं — क्या यह उचित है कि सच के एक सपने के लिए इतना समय और इतनी मेहनत की जाए, जबकि सफलता की एकमात्र गारन्टी ईश्वर की इच्छा पर निर्भर है? मुझे यहां द्वारका दास 'शोला' की पंक्तियां याद आ रही हैं —

तलाशे–हक़ में न दुनिया छोड़, ऐ ज़ाहिद!
कहीं का भी न रहेगा, अगर खुदा न मिला

ऐ उपदेशक! सत्य की खोज में तू दुनिया का त्याग न कर, यदि तुम्हें ईश्वर न मिला, तो न तुम इधर के रहोगे, न उधर के।

13

एक विवेकशील व्यक्तित्व –
दलाई लामा

...मैं उनसे मिलकर बहुत खुश था। उनके चेहरे पर
सद्भावना की रोशनी, उत्साह और स्पष्ट ईमानदारी झलक
रही थी, जो उनसे मिलकर आने के बाद भी आपके
साथ बनी रहती है। नोबल समिति ने 1989 में उन्हें
'शांति पुरस्कार' से सम्मानित करके एक अच्छा काम
किया है, क्योंकि दलाई लामा शांति के दूत हैं।

महामहिम दलाई लामा की ओर से निमंत्रण मुझे दिल्ली में उनके प्रतिनिधि
ताशी वांगदी के ज़रिए मिला था कि महामहिम को उनके निवास स्थान,
धर्मशाला (हिमाचल प्रदेश) में मुझसे मिलकर खुशी होगी।

वांगदी ट्रेन में मेरे साथ थे, जिसने हमें पठानकोट (पंजाब) पहुंचाया।
वहां से हमें सड़क मार्ग से धर्मशाला जाना था। मुझे ट्रेनों में नींद बहुत
आती है, लेकिन उस सारी रात मैं यही सोचता रहा कि मैं दलाई लामा

से क्या बात करूंगा। मैंने उनकी जीवनी 'माई लैन्ड एंड माई पीपल' (1962 में प्रकाशित) और उनके द्वारा या उन पर लिखी कुछ दूसरी किताबें पढ़ी हैं, लेकिन उनसे ज़्यादा जानकारी नहीं मिल सकी।

मैं उन हालात से वाक़िफ हूं, जिनके कारण उन्हें और उनके हज़ारों अनुयायियों को तिब्बत छोड़कर 1959 में भारत में शरण लेनी पड़ी थी। भारतीय सरकार उनके आने से बहुत असमंजस की स्थिति में थी। उनकी उपस्थिति पर भारी विरोध झेलने के बावजूद, भारत स़रकार ने विनम्रता से उन्हें तथा उनके देश के लोगों को, भारत की धरती पर बसने की अनुमति दे दी थी।

तिब्बत के कई शहरों के लोग, हमारे यहां के पहाड़ी तथा मैदानी इलाकों में आ बसे। भारत में हो रहे विरोध से परे, तिब्बती लोगों ने अपने पड़ोस में बसे भारतीय लोगों का दिल जीत लिया। वे शांतिप्रिय, साफ-सुथरे, अनुशासन-प्रिय, हमेशा मुस्कराते रहने वाले, और उन क्षेत्रीय भाषाओं को जल्द ही सीख लेने वाले थे (...हैं), जहां वे आकर बस गए। मैं ऐसे दूसरे लोगों को नहीं जानता, जिनमें विदेशी भाषाओं को समझने-बोलने की वैसी योग्यता है, जैसी इन तिब्बतियों में है।

अपनी आत्मकथा 'फ्रीडम इन एग्ज़ाइल' (1990) में दलाई लामा लिखते हैं – 'दिल्ली की ओर से किसी प्रकार की कोई दखलं दाजी नहीं थी कि मैं और बड़ी संख्या आने वाले तिब्बती लोग अपना जीवन कैसे बिताते हैं। लोगों की बढ़ती मांग के अनुसार मैंने बिरला हाऊस (नई दिल्ली) के मैदान में साप्ताहिक गोष्ठियां शुरू कर दी थीं। इससे मुझे भिन्न-भिन्न लोगों से मिलने और उन्हें तिब्बत की सही स्थिति समझाने का अवसर मिला। इससे मुझे आधिकारिक आचार-व्यवहार की बंदिशों को तोड़ने में भी सहायता मिली, जिसने दलाई लामा को उसके लोगों से दूर कर दिया था। मैं पूरी दृढ़ता से यह महसूस करता था कि हमें अपने पुराने क्रिया-कलापों से चिपके रहने की कोई ज़रूरत नहीं है, जो आज के हालात में सही नहीं है। जैसा कि मैं अक्सर लोगों को याद दिलाता रहता हूं कि हम इस देश में शरणार्थी हैं... लोगों से दूर रहकर उन्हें भुला देना या उनसे मिलना-जुलना बंद कर देना बहुत आसान

है। इसलिए मैंने अपने आपको पूरी तरह खुला रखने का निश्चय कर लिया था, ताकि मेरे शिष्टाचार के पीछे सब कुछ साफ़-साफ़ दिखाई दे, कहीं कोई छुपाव न हो। इस तरह मैंने आशा की कि लोग मुझसे वैसे ही जुड़ें, जैसे एक इंसान दूसरे इंसान से जुड़ता है।'

हां तो, मैं महामहिम दलाई लामा से क्या पूछूंगा? मैंने राजनीति से बचने का फैसला किया और तय किया कि उनसे वही प्रश्न पूछूंगा जो पिछले कई सालों से मुझे परेशान करते रहे हैं। मेरा ईश्वर में विश्वास नहीं। मैं अनीश्वरवादी हूं और वह ईश्वर या महात्मा बुद्ध का अवतार हैं। मैं निश्चय से नहीं कह सकता कि वह दोनों में से क्या हैं। एक अवतार के रूप में, निश्चित रूप से उनका संसार के सिद्धान्त में विश्वास होगा — जन्म, मृत्यु और पुनर्जन्म के कभी खत्म न होने वाले चक्र और निर्वाण स्थिति। तर्कवादी होने के कारण, मैं उस सिद्धान्त को स्वीकार नहीं कर सकता जो सिद्ध न हुआ हो। वह भी पूर्वजन्म के कर्मों में विश्वास करते हैं, जो किसी इंसान के वर्तमान जीवन में उसके भाग्य को प्रभावित करते हैं। यदि ऐसा था तो ईश्वर या महात्मा बुद्ध के इस अवतार ने अपने पिछले जन्म में ऐसे कौन से काम किए होंगे, जिनके कारण उन्हें अपने पूर्वजों की धरती छोड़कर, देश-निकाले की सज़ा काटनी पड़ रही है। मुझे पक्का विश्वास नहीं है कि वह ऐसे प्रश्नों का उत्तर देने की कृपा करेंगे, वह उन्हें बेकार के प्रश्न मान कर खारिज भी कर सकते हैं। दूसरी तरफ़, यदि उन्होंने उत्तर दिया, तो हमारे बीच एक विचारोत्तेजक आध्यात्मिक बहस छिड़ सकती है, जो मेरे लिए बहुत महत्वपूर्ण होगी।

पहाड़ी क्षेत्र की तीन घंटे की यात्रा के बाद, हम लोग धर्मशाला पहुचे। मैक्लिओडगंज, जहां अधिकांश तिब्बती रहते हैं और जहां बिल्कुल सीधी चढ़ाई वाले पहाड़ हैं, पहुंचने में और आधा घंटे की यात्रा बाकी थी। मुझे दलाई लामा के गेस्ट हाऊस में ठहराया गया था, जो एक मध्यम दर्जे का बंगला था, जहां से धर्मशाला के दृश्य दिखाई पड़ते थे। उनकी मां ने वहां कई वर्ष बिताए थे। उनकी देखभाल, दलाई लामा के सबसे छोटे भाई तेन्ज़िन चोग्याल की पत्नी करती थीं, जो

एक आकर्षक औरत थीं और दो बच्चों की मां थी। वह शाम को वहां आई। मैंने उनसे 'ड्रिंक' के लिए निवेदन किया और उनसे पूछा कि कहीं मेरे प्रश्न दलाई लामा को परेशान तो नहीं करेंगे? 'मैं समझती हूं, ऐसा नहीं है।' उन्होंने शानदार अंग्रेज़ी में उत्तर दिया। 'किसी भी स्थिति में ये प्रश्न उनके सामने रखने में कोई हर्ज़ नहीं है। उन्होंने तिब्बत, कम्युनिस्ट चीन और अपने भविष्य की योजनाओं पर सैंकड़ों प्रश्नों के उत्तर दिए होंगे।'

मेरा उनसे मिलना, अगले दिन दोपहर बाद के लिए तय था। मैं उनके निवास पर आधा घंटा पहले ही पहुंच गया था ताकि आसपास का जायज़ा ले सकूं। सुरक्षाकर्मियों से घिरे उनके निवास के सामने बहुत बड़ा एक मन्दिर था। मंदिर में बहुत ज़्यादा लोग नहीं थे। मैंने एक यूरोपियन भिक्षु देखा, जो महात्मा बुद्ध की मूर्ति के सामने बैठा गहरे 'ध्यान' में लीन था। हमें उनके निवास के अंदर ले जाया गया और कुछ देर इंतज़ार करने को कहा गया, क्योंकि महामहिम के साथ अभी भी जर्मनी से आए कुछ लोग थे। कुछ देर बाद, जर्मन लोगों का समूह बैठक से होकर बाहर चला गया और हमें अंदर जाने के लिए कहा गया। दलाई लामा मुझे लिवाने बाहर बरामदे में आए। उन्होंने हमें इंतज़ार करवाने के लिए हमसे माफी मांगी। वह अपने साक्षात रूप में, तस्वीरों से काफी बड़े लग रहे थे, लगभग छः फुट के करीब। और हृष्ट-पुष्ट भी। हमने हाथ मिलाए तो उनकी पकड़ मुझे, पहलवानों जैसी लगी। मैंने परम्परास्वरूप उन्हें एक गुलुबंद भेंट किया। प्रत्युत्तर में उन्होंने भी मुझे गुलुबंद दिया। मुझे उनके ड्राइंग रूम में ले जाया गया। मैंने अपना 'टेप-रिकार्डर' चालू कर दिया और जल्दी से पूछा, 'महामहिम! मैं आपसे राजनीति के संबंध में कुछ नहीं पूछने जा रहा लेकिन...।'

उन्होंने ज़ोरदार ठहाका लगाकर मुझे टोकते हुए कहा, 'तब हम आराम से बात कर सकते हैं। मुझे पत्रकारों को राजनीति से जुड़े प्रश्नों के उत्तर देते हुए बहुत सचेत रहना पड़ता है। आप मुझसे क्या पूछना चाहते हैं?

'मैं एक अनीश्वरवादी व्यक्ति हूं। मैं भगवान में विश्वास नहीं करता। जब आप कहते हैं कि ईश्वर ने ही पूरे ब्रह्माण्ड को बनाया है, तो आपके पास इसका आधार क्या है?'

उन्होंने एक और ठहाका लगाया। उसके बाद उन्होंने कहा, 'मैं नहीं कहता कि ईश्वर ने दुनिया बनाई है। महात्मा बुद्ध ने कभी नहीं कहा कि दुनिया ईश्वर ने बनाई है। इसके विपरीत, उन्होंने कहा, 'जिसे आपकी चेतना स्वीकार नहीं करती, उसमें विश्वास मत करो।'

इस उत्तर ने मुझे धराशायी कर दिया। तब, मैंने अपना दूसरा प्रश्न पूछा, 'इस स्थिति में, पुनर्जन्म या अवतार लेना क्या है?'

'हम विश्वास करते हैं कि मरने के बाद लोग दुबारा जन्म लेते हैं। यदि ऐसा नहीं है तो मैं दलाई लामा नहीं होता।' एक और विस्फोटक ठहाका।

मैं अपने विषय पर कायम रहा, 'मरने के बाद पुनर्जन्म में विश्वास करने का कोई वैज्ञानिक आधार नहीं है।'

तब उन्होंने मुझे उन बच्चों के कुछ उदाहरण दिए जो अपने शिशुकाल में पिछले जन्म की बातें बताते थे। उनके ज़्यादातर उदाहरण भारत से थे। मैंने महसूस किया कि वह थोड़ा असहज महसूस कर रहे थे। 'वे सब बचकाना कल्पना है, जिसे मां-बाप बढ़ावा देते हैं। कुछ महीनों बाद ही ये बातें ग़ायब हो जाती हैं। मैं इन्हें सबूत नहीं मानता।' मैंने कहा।

'किसी ने आपसे नहीं कहा कि आप ऐसा करे,' उन्होंने शान्त स्वर में उत्तर दिया। उन्होंने तर्क की श्रेष्ठता के लिए एक बार फिर महात्मा बुद्ध का उदाहरण दिया, यदि आप मुझे विश्वास दिला सकें कि पुनर्जन्म का सिद्धान्त तर्कहीन है, तो मैं भी इसे अस्वीकार कर दूंगा।'

'चूंकि आप अभी भी इसमें विश्वास करते हैं, तो क्या आप मुझे बता सकते हैं कि आपने अपने पिछले जन्म में ऐसा क्या किया था, जिसके कारण आपको अपनी मातृभूमि से निकाले जाने की सज़ा मिली?'

दलाई लामा की इंगलिश इतनी अच्छी नहीं है, जितनी उनके कई अनुयायियों की। उनके साथ उनका सचिव भी था, जो मेरे प्रश्न को

तिब्बती भाषा में दोहराता था और इंगलिश और तिब्बती भाषा के मिश्रण में उत्तर देता था। तब उन्होंने उत्तर दिया, 'हां, मुझे यकीन है कि मैं और मेरे साथी, अपने पिछले जन्म में किए गए बुरे कर्मों की सज़ा भुगत रहे हैं। वरना इसका कोई मतलब ही नहीं था।'

उन्होंने महसूस किया कि इस उत्तर का मेरे लिए कोई मतलब नहीं था। हम दूसरे प्रश्नों पर बात करते रहे, जैसे कि बुराई अक्सर अच्छाई पर क्यों जीत हासिल कर लेती है? अच्छे लोगों को क्यों सहना पड़ता है, जबकि बुरे लोग फलते-फूलते हैं? इंटरव्यू के लिए निर्धारित आधे घंटे के बजाय, हमारी यह बातचीत डेढ़ घंटे तक चली। 'टेप' खत्म हो चुका था और उनके सेक्रेटरी का धैर्य भी। वहां और लोग भी आए हुए थे, जो उनसे मिलने का इंतज़ार कर रहे थे।

मैंने उनसे विदा ली। मैं उनसे मिलकर बहुत खुश था। उनके चेहरे पर सद्भावना की रोशनी, उत्साह और स्पष्ट ईमानदारी झलक रही थी, जो उनसे मिलकर आने के बाद भी आपके साथ बनी रहती है। नोबल समिति ने 1989 में उन्हें 'शांति पुरस्कार' से सम्मानित करके एक अच्छा काम किया है, क्योंकि दलाई लामा शांति के दूत हैं।... कई बार उनके साथ बुरा भी हुआ है, लेकिन उन्होंने विरोध में कभी कोई गुस्से भरे शब्द नहीं बोले। वे उन लाखों लोगों के लिए सान्त्वना लेकर आए हैं, जो दुनिया के वर्तमान ढंग से परेशान हैं।

14

पांच सितारा धर्म – स्वामी विवेकानन्द

...उनके (स्वामी विवेकानन्द के) विचारों के पुनर्पाठ ने मेरे डर को पुख़्ता कर दिया। यहां कुछ पंक्तियां ऐसी हैं, जिनका कोई अर्थ नहीं है – 'यदि विषय प्रभावशाली है तो विचार असीमित प्रभाव वाले हैं।' भौतिकवादी 'पश्चिम' के पतन और आध्यात्मिक विचारों वाले 'पूर्व' के पुनर्जागरण के संबंध में उनकी भविष्यवाणी कितनी ग़लत है...

इसकी शुरुआत बाइबल से हुई। हर पांच-सितारा होटल में, लोकल टेलीफ़ोन डायरेक्टरी के साथ, पलंग के एक ओर बने दराज में बाइबल की एक प्रति रखी जाती है। एक फोन घुमाने पर आपको 'प्रार्थना' की सुविधा मुफ़्त में मिल जाएगी और यदि आप चाहें तो आपको बाइबल भी मिल सकती है। श्रीलंका, थाइलैंड और जापान में अच्छे होटलों के बेडरूम में 'धम्मपद' (बौद्ध धर्मग्रन्थ) की प्रतियां रखी हुई हैं। बेशक इसको मान न भी दे सकें, लेकिन इस्लामी देशों ने भी इसका अनुसरण

किया। आप मध्यपूर्व और उत्तरी अफ्रीका में मुस्लिम स्वामित्व वाले होटलों में पवित्र कुरान की आयतें और नबी मुहम्मद और हज़रत अली के उपदेशों की प्रतियां प्राप्त कर सकते हैं।

मैं भी अपने यहां के होटलों में गीता और उपनिषदों की प्रतियां देखना चाहता हूं, लेकिन रांची (अब झारखंड की राजधानी) की अपनी यात्रा के दौरान, मैंने देखा कि अशोक होटल के तत्कालीन प्रबंधक, एम.एन. चौधरी, हर मेहमान को दो पुस्तिकाएं भेंट करते थे – 'विवेकानंद – हिज़ काल टु द नेशन' और स्वामी विवेकानंद लिखित 'थॉटस ऑफ़ पॉवर।' इसलिए, रांची में इन दो दिनों के दौरान मैंने स्वामी विवेकानंद को पढ़ा।

जब उपदेश की बात आती है, तो हम भारतीय इस संबंध में पाखंडी नहीं दिखना चाहते। नैतिकता सिखाने वाले हम दुनिया के सबसे महान शिक्षक हैं, जिसका हम खुद पालन नहीं करते। श्री रामकृष्ण परमहंस (1836-1886) और स्वामी विवेकानंद (1863-1902) उन्नीसवीं सदी के अंत और बीसवीं सदी की शुरुआत में बंगाल के दो सबसे बड़े संत हुए हैं। दूसरे कई संतों की तरह, विवेकानंद के साथ भी कई किंवदंतियां जुड़ी हुई हैं। वह 'सुपरमैन' के पंथ में विश्वास करते थे – 'जैसे-जैसे मैं बड़ा होता हूं मुझे और सब कुछ पौरुष में निहित लगता है। यह नया सुसमाचार है,' उन्होंने कहा। मैंने स्वामी विवेकानंद की महानता पर कई भावोत्तेजक भाषण सुने हैं और यह भी सुना है कि उन्होंने कैसे 1893 में शिकागो में हुए पहले विश्व धर्म सम्मेलन में अपने गर्मजोशी वाले भाषण से अपना प्रभाव छोड़ा था। उनके प्रशंसकों से आपको लगता होगा कि उनका भाषण एक शानदार प्रदर्शन था, जिसने पूरी पश्चिमी दुनिया को हिला कर रख दिया था। यह एक मिथक है, जो हमने अपने आप बनाई है। मैंने उस समय के अमरीकी समाचार पत्रों के समकालीन रिकॉर्ड देखे हैं, जिसमें ऐसा कुछ भी नहीं है। बेशक वह एक सुंदर प्रभावशाली व्यक्तित्व के स्वामी और एक अच्छे वक्ता थे, लेकिन किसी भी रूप में वह एक महान विचारक नहीं थे, जैसा

कि उनके प्रशंसक उन्हें पेश करते हैं। फिर भी यदि भारत के लाखों लोग विश्वास करते हैं कि उन्होंने पूरी दुनिया को हिला दिया था, तो मैं कौन होता हूं उनकी आस्था पर प्रश्न खड़ा करने वाला?

उनके (स्वामी विवेकानन्द के) विचारों के पुनर्पाठ ने मेरे डर को पुख्ता कर दिया। यहां कुछ पंक्तियां ऐसी हैं, जिनका कोई अर्थ नहीं है — 'यदि विषय प्रभावशाली है तो विचार असीमित प्रभाव वाले हैं।' भौतिकवादी 'पश्चिम' के पतन और आध्यात्मिकतावादी 'पूर्व' के पुनर्जागरण के संबंध में उनकी भविष्यवाणी कितनी ग़लत है... इसका अंदाजा उन्होंने एक सौ साल पहले जो लिखा, उससे लगाया जा सकता है —

...यूरोप, जो भौतिक ताक़तों के प्रदर्शन का केंद्र है, अगर वह अपनी स्थिति को बदलने, अपने में ज़मीनी बदलाव लाने और आध्यात्मिकता को अपने जीवन का आधार बनाने के प्रति सचेत नहीं है, तो 50 साल के भीतर ही धूल में मिल जाएगा। अगर यूरोप को कोई बचा सकता है तो वह है — उपनिषदों का धर्म।

यूरोप टूटा नहीं, लेकिन उपनिषदों का देश टूट गया।
शारीरिक तंदुरुस्ती के लिए उन्होंने लिखा —

सबसे पहले हमारे युवा लोग शक्तिशाली होने चाहिए। धर्म उसके बाद आता है। मज़बूत बनो, मेरे युवा मित्रों! मेरी आपको यही सलाह है। आप गीता को पढ़ने की अपेक्षा, फुटबाल के माध्यम से स्वर्ग के नज़दीक हो सकते हैं। ये बहुत साहसिक शब्द हैं, लेकिन मुझे ये बोलने ही हैं, क्योंकि मैं आपको प्यार करता हूं। मैं जानता हूं कि जूता कहां काटता है। मुझे थोड़ा सा अनुभव है। अपनी मांसपेशियों को मज़बूत करके, आप गीता को बेहतर ढंग से समझ पाएंगे। आप अपने भीतर मज़बूत खून के माध्यम से अति बुद्धिमान और अति शक्तिशाली कृष्ण को और भी अच्छे ढंग से जान सकेंगे। आप उपनिषदों और आत्मा-परमात्मा को बेहतर

समझ पाएंगे, जब आपका शरीर आपके मज़बूत पैरों पर सीधा खड़ा होगा और आप अपने आपको पुरुष महसूस करेंगे।'

ईश्वर और धर्म पर उन्होंने लिखा –

'भोजन-भोजन' कहने और खाने में बहुत बड़ा अंतर है, 'पानी-पानी' कहने और पानी पीने में बहुत बड़ा अंतर है। इसलिए 'ईश्वर-ईश्वर' दोहराने से हम वास्तविकता को नहीं पा सकते। हमें अवश्य ही कोशिश और अभ्यास करना चाहिए।

यदि मैं ग़लत हूं, तो स्वामी जी के लाखों शिष्यों और चाहने वालों से माफ़ी चाहता हूं।

•••

हिन्द पॉकेट बुक्स और फुल सर्कल आत्म-विकास, धर्म, अध्यात्म, स्वास्थ्य आदि आन्तरिक और बाहरी जीवन से सम्बन्धित विषयों पर पुस्तकें प्रकाशित करते हैं। हमारा मुख्य उद्देश्य एक स्वस्थ और शान्तिपूर्ण विश्व की संरचना में अपनी भूमिका को सकारात्मक ढंग से निभाना है। पुस्तकें अनमोल होती हैं और इनका कोई सानी भी नहीं होता।

हिन्द पॉकेट बुक्स / फ़ुल सर्कल

जे-40, जोरबाग़ लेन, नई दिल्ली-110003

फ़ोन : +011-24620063, 24621011 फैक्स : 24645795

e-mail: sales@hindpocketbooks.in

contact@fullcirclebooks.in

website: www.hindpocketbooks.in

सेल्स ऑफिस

ई-14, सेक्टर नं. 11, नोएडा - 201301

फ़ोन : 0120-4162707, 4163707, 9015664264

ई-मेल : sales@hindpocketbooks.in

खुशवंत सिंह

औरतें, सेक्स, लव और लस्ट

खुशवंत सिंह द्वारा इस विषय पर मनोरंजक, जानकारी से भरपूर विचारोत्तेजक और एकदम खुलकर साफ़-साफ़ लिखी उनकी श्रेष्ठ रचनाओं का संकलन।

यह भारतीय और विदेशी मिथकों, किंवदंतियों, कहावतों और कविताओं से भरपूर है। अधिकांश पृष्ठों में उदाहरण, प्रसंग और सूक्तियां दी गई हैं, जो इसे प्रामाणिक और तथ्यपूर्ण बनाते हैं। लेखन का सिर्फ़ वही तरीक़ा है, जो केवल खुशवंत सिंह के यहां मिलता है, बोल्ड और रोचक।

यदि आप यह जानना चाहते हैं कि सबसे पहले कौन आया, लव या लस्ट या बहस करना चाहते हैं, अविवाहित जीवन, सती-साध्वी पर या फिर अरेंज मैरिज पर, तो जो कुछ बेजोड़ ढंग से खुशवंत सिंह ने उद्घाटित किया है, उससे गुज़रना होगा। उन्होंने अश्लीलता, पोर्नोग्राफ़ी और इरोटिका के बीच की विभाजक रेखा को अपने विश्लेषण में बताया है। वह भारतीय औरत की तुलना दुनिया-भर की औरतों से करते हुए एक अलग ही अंदाज में नज़र आते हैं।